HRJC

AUG 2009

KIRSTEN BOIE

Der Prinz und der Bottelknabe

oder

Erzähl mir vom Dow Jones

Verlag Friedrich Oetinger · Hamburg

© Verlag Friedrich Oetinger, Hamburg 1997
Alle Rechte vorbehalten
Einband von Jutta Bauer
Satz: Utesch GmbH, Hamburg
Druck und Bindung: Clausen & Bosse, Leck
Printed in Germany 1999*

ISBN 3-7891-3120-2

VORSPIEL

Es war an einem der wenigen sonnigen Hochsommertage des
Jahres, als am frühen Morgen auf dem Flur der eleganten
kleinen Privatklinik ein etwas fülliger Herr mit schon schüt-
ter werdendem Haar und in sportlicher Designerkleidung mit
fliegenden Fingern nach Münzen suchte, um das Telefon, das
in einer Fensternische aufgehängt war, bedienen zu können.
»Ein Skandal!«, murmelte der Herr und durchwühlte das
Münzfach seiner Börse. »In einem Laden wie diesem sollte
man doch erwarten ...«
Nur wenige Jahre danach hätte er natürlich eine Telefonkar-
te gehabt, die die Sucherei überflüssig gemacht hätte, und
kaum später dann sicher ein Handy; aber diese Geschichte
beginnt zu einer Zeit, als beide Errungenschaften der Technik noch kaum ihre Häupter über den Horizont der Tele-
kommunikation reckten.
Darum musste der Herr noch einige unendlich scheinende
Augenblicke suchen, bis er endlich die Münzen zusammen-
hatte und mit Fingern, die so sehr zitterten, dass er kaum die
Tasten des Telefons traf, seine Nummer wählen konnte.
»Margot? Ja! Er ist da!«, brüllte er dann in den Hörer mit
einer Lautstärke, die eine vorübergehende Schwester dazu
brachte, gleichzeitig zu lächeln, den Kopf zu schütteln und
den rechten Zeigefinger mahnend gegen die Lippen zu
pressen. »Ja, natürlich ein Junge! Genau um acht Uhr
acht!«
Am anderen Ende der Leitung wurde schnell und aufgeregt
gesprochen und der Herr fing an zu lachen.

»Das hatte ich völlig übersehen!«, rief er. »Als es gestern Abend losging, war ja noch der siebte! Natürlich, der achte Achte auch noch! Wenn das kein Glück bringt! Wenn das kein Zeichen ist!« Dann wurde auf der anderen Seite gesprochen und der Herr atmete etwas ruhiger.

»Ja, vorsichtshalber mal gleich für dreißig, vierzig Personen«, sagte er. »Bei diesem kleinen neuen Franzosen oder, wenn da für heute Abend schon alles ausgebucht ist ...«

Durch das Fenster sah man weiße Dreiecke vor strahlendem Blau, die Segel der ersten Boote, mit denen die Glücklichen aus den Vororten schon früh über den See in der Mitte der Stadt glitten. »Ja, natürlich Champagner! Und das übliche Pipapo, Sie wissen schon.« Der Herr hob den linken Arm vor die Augen und sah auf seine Rolex. »Nein, nur ein kleiner Umtrunk. Rufen Sie an, wen Sie für sinnvoll halten, ich lasse Ihnen da ganz freie Hand. Der Kronprinz ist da.«

Offenbar wurden auf der anderen Seite der Leitung jetzt Glückwünsche geäußert. Der Herr trat ungeduldig von einem Fuß auf den anderen.

»Danke, Margot, danke!«, sagte er. »Ich will jetzt wieder zu meiner Frau.« Er hängte den Hörer ein.

Vor dem Fenster schwebten die weißen Dreiecke weiter; der Verkehrslärm drang leise und gedämpft kaum bis auf den Flur.

»Der Kronprinz ist da«, murmelte der Herr. Dann machte er sich auf Zehenspitzen auf den Weg zurück zu der gepolsterten Tür, hinter der seine Frau und sein Sohn sich von den Strapazen der Geburt erholten.

So also verbrachte der Vater von Calvin Prinz den ersten
Morgen im Leben seines Sohnes.

Zur gleichen Zeit trat am anderen Ende der Stadt ein sehr
junger Mann in sehr alten Jeans aus der großen Drehtür des
Allgemeinen Krankenhauses und blinzelte müde in den sonnigen Morgen.
Auf dem Besucherparkplatz standen noch kaum Autos und
in den Beeten blühten Tagetes und Petunien. Es hätte ein
schöner Morgen sein können.
Der junge Mann seufzte. Der Gedanke, jemanden anzurufen,
kam ihm offenbar nicht. Seit gestern Abend hatte er auf einem dieser Hartschalensessel gehockt und gewartet, dass es
endlich vorbei war. Ein- oder zweimal hatte er überlegt, was
es überhaupt bringen sollte, wenn er sich hier auf dem Kran-
kenhausflur die Nacht um die Ohren schlug. Für Jasmin
drinnen im Kreißsaal wurde es dadurch nicht leichter; und er
konnte später schließlich auch aus der Kneipe anrufen und
sich erkundigen, ob das Kind angekommen und ob alles dran
war. Aber jedes Mal, wenn er aufgestanden war um zu gehen,
hatte ihn das Gefühl zurückgehalten, dass er sich in seiner
Kneipe womöglich noch schlechter fühlen würde als hier auf
dem Flur. Also hatte er durchgehalten.
Ein paar Mal hatte eine freundliche Schwester ihm Kaffee
gebracht und gefragt, ob er nicht vielleicht doch dabei sein
wollte, wenn sein Kind auf die Welt kam, aber er hatte dan-
kend abgewinkt.
Darauf hatte er sich beim ersten eingelassen, aber da war er
natürlich noch fürchterlich jung gewesen. Mit Grausen erinnerte er sich an das Stöhnen und an das Blut und an die

Gerüche; und vor allem erinnerte er sich an das Gefühl, vollkommen überflüssig und unfähig zu sein.

Schon beim zweiten Mal hatte er darum auf dem Flur gewartet; und dieses Mal hätte er fast auch das nicht bis zum Schluss durchgehalten.

Der sehr junge Mann seufzte. Drei Kinder. Windeln und voll gerotzte Papiertücher und nicht ausgeleerte Töpfchen und Kleidung überall auf dem Boden verstreut. Geschrei jede Nacht und jede Nacht der Versuch nicht zuzuschlagen, nicht zuzuschlagen, nicht zuzuschlagen. Klebrige Kinderfinger, die an seinen Hosenbeinen zupften, kaum dass er die Wohnungstür aufgeschlossen hatte.

Er drehte sich entschlossen um und ging zur Bushaltestelle. Die Nachbarin passte auf Ramon und Jacqueline auf und er hätte wahnsinnig sein müssen seine kurze Freiheit nicht zu nutzen. Die Kneipe öffnete um zehn und irgendwen würde er dort bestimmt auch um diese Zeit schon treffen. Dann konnten sie auf den neuen Sohn anstoßen und Witze darüber reißen, was für ein potenter Bock er war. Hatte die Schwester gesagt, es war ein Sohn? Er war ziemlich müde.

Der Bus fuhr in die Haltebucht und der junge Mann stieg durch die Mitteltür ein. Er wollte nicht daran denken, dass er in der Falle saß bis ans Ende seines Lebens. Irgendwo, noch weit in seinem Hinterkopf, formte sich vielleicht schon an diesem Morgen der Gedanke, dass er gehen würde, wenn er es nicht mehr länger aushalten konnte.

So also verbrachte der Vater von Kevin Bottel den ersten Morgen im Leben seines Sohnes.

1. UND VOR MIR STAND
ICH SELBER

CALVIN

Kein Mensch wird mir diese Geschichte glauben, das ist schon klar. Wenn ich ehrlich bin, würde ich das ja selber nicht. Wenn sie mir nicht passiert wäre, mir, Calvin Prinz. Ich meine, ich bin eigentlich eher so ein nüchterner, vernünftiger Typ, nichts mit Esoterik und Pendeln und *wer weiß, ob auf dem Mars nicht doch kleine grüne Männchen leben.* Da läuft mir ja direkt ein Schauder über den Rücken bei solchem Gerede.

Andererseits passieren natürlich schon manchmal Sachen, die eher unwahrscheinlich sind, das muss jeder zugeben. Achtlinge werden geboren und grauhaarige Männer segeln allein im Einbaum von Amsterdam nach Feuerland; und was alles im *Guinness-Buch der Rekorde* steht, will ich hier gar nicht erwähnen. Das sind doch auch alles Dinge, mit denen man nicht direkt rechnet.

Ich bin also an diesem Nachmittag schon mit schlechter Laune nach Hause gekommen. In der Mathearbeit hatte ich eine Fünf geschrieben und damit bestand für die Versetzung eigentlich kaum noch eine Chance. Das Wetter war so grässlich, dass niemand geglaubt hätte, dass es nach dem Kalender demnächst Sommeranfang sein würde, und mir grauste vor dem Hockeytraining um fünf. Die Voraussetzungen waren also schon mal schlecht. An solchen Tagen kommt ja meistens vieles zusammen.

Als ich über die Terrasse ins Haus ging, war Momma noch nicht da, aber im oberen Stockwerk saugte Margareta, unsere polnische Putzfrau, gerade den Flur. Auf dem Monitor meines letzten PCs klebte einer dieser *Post it!*-Zettel und teilte mir mit, dass Momma noch bei der Fitness war. Um das Essen würde Margareta sich kümmern.

Ich hatte nichts dagegen. Wenigstens musste ich dann nicht sofort meine Fünf beichten und Mommas Gejammer ertragen. Bei jeder schlechten Klassenarbeit prophezeite sie mir eine Zukunft unter der Brücke, und wenn ich dann den Mut aufbrachte zu sagen, dass ich doch sowieso später die Firma übernehmen würde, mit oder ohne Abitur, brach sie erst recht zusammen. Weil die Firma nämlich die nächsten Jahrzehnte offenbar nur mit einem Chef überstehen würde, der mindestens Betriebswirtschaftslehre studiert hatte, und um zu studieren braucht man Abitur und das schenkt einem nun mal keiner, wenn man ständig Fünfen schreibt.

Dabei glaubte ich übrigens ganz bestimmt, dass es Momma in Wirklichkeit mehr darum ging, bei ihren Golf- und Tennisfreundinnen nicht beichten zu müssen, dass ihr Einziger sitzen geblieben war. Die hatten nämlich alle ganz reizende Kinder, die in der Malschule Preise gewannen und Halbprofis auf der Violine waren, und an Sitzenbleiben war bei denen natürlich schon gar nicht zu denken. Überhaupt waren diese Damen alle ziemliche Lügenbeutel, wenn mich einer fragt.

In der Diele drehte sich der Schlüssel im Schloss.

»Halloooo, halloooo?«, rief Daddo mit dieser fröhlichen Stimme, die er immer hat, wenn er einige Tage nicht zu Hause war. »Keiner da?«

Oben saugte Margareta unerschütterlich weiter. Sie war schließlich nicht gemeint.

Ich steckte den Kopf durch die Esszimmertür. »Hi«, sagte ich.

»Der Sohn!«, sagte Daddo, und einen Augenblick sah es so

aus, als ob er die Arme ausbreiten wollte, damit ich mich hineinstürzen konnte. So hatten wir es nämlich früher immer gemacht, wenn Daddo von seinen Reisen zurückgekommen war. Er hatte die Arme ausgebreitet und ich hatte mich hineingestürzt; und Daddo hatte mich aufgefangen und noch im Schwung begonnen sich mit mir zu drehen, dass meine Beine vom Boden abhoben und wie Windmühlenflügel über den Marmorboden schwebten. Erst danach packte er dann die Geschenke aus, die Reisemitbringsel, die er meistens noch eilig nach der Landung am Flughafen gekauft hatte; aber der Grund, warum ich mich lange, viele Jahre lang, immer so sehr auf Daddos Rückkehr gefreut hatte, war dieser kurze Augenblick gewesen, in dem wir beide durch die Diele wirbelten.

Diese Zeiten waren natürlich vorbei.

»Alles okay?«, fragte er, noch mit dem Reiseglück auf dem Gesicht.

Ich nickte. »Wo bist du gewesen?«, fragte ich.

Daddo ging ins Wohnzimmer und ließ sich aufs Sofa fallen.

»Schon wieder Chicago, weißt du doch«, sagte er. »Wir sind da jetzt besser im Geschäft, als man glauben sollte, Sohn. Wo ist Momma?«

»Die bekämpft ihre Orangenhaut«, sagte ich.

Daddo lachte. »Nächstes Mal nehme ich dich vielleicht mit«, sagte er. »Langsam wird es Zeit, dass du den Laden mal kennen lernst, Sohn.«

Ich nickte. Vier Tage Chicago waren auf alle Fälle besser als vier Tage Schule. Dafür war ich schon mal bereit, mir Daddos stundenlange Erklärungen und Daddos Begeisterung und Daddos Erzählungen über die Geschichte der Firma anzuhören.

»Wie alt bin ich?«, fragte Daddo und beugte sich vor. Jetzt konnte man sehen, wie müde sein Gesicht unter der Bräune war.

Ich seufzte. Ich wusste, was kam, wenn Daddo diese Frage stellte, und fast hätte ich mir gewünscht, dass Momma da gewesen wäre und unser kleiner Austausch über das Leben unter der Brücke hätte wie gewohnt stattfinden können.

»Zweiundsechzig?«, sagte ich. Obwohl Daddo natürlich nicht so aussieht. Schließlich geht in unserer Familie nicht nur Momma zur Fitness.

Daddo nickte. »So ist es, mein Sohn, so ist es«, sagte er. »Da gehen andere in Rente. Geh ich in Rente?«

Ich schüttelte den Kopf. Ich wusste, dass er jetzt gerne etwas darüber gehört hätte, wie jung er aussah und wie fit er war und dass er mich im Tennis immer noch locker schlug; aber irgendwie brachte ich das nicht so richtig über die Lippen.

»Eben!«, sagte Daddo. »Geh ich nicht, keine Sorge. Ich fühl mich wie vierzig. Aber in zehn Jahren fühl ich mich dann also wie fünfzig, und da sollte man dann doch schon anfangen an den Ruhestand zu denken.«

Oben wurde der Staubsauger ausgeschaltet und man konnte hören, wie Margareta irgendein polnisches Volkslied sang. Margareta sang immer bei der Arbeit und immer sang sie auf Polnisch.

»In zehn Jahren also!«, sagte Daddo. »Dann bist du dran, Sohn. Bis dahin muss das klappen. Da musst du den Laden übernehmen, damit ich noch ein paar Jahre mit meiner Jacht durch das Mittelmeer kreuzen kann. Oder durch die Karibik.«

»Du hast doch gar keine Jacht«, sagte ich. Es war ein Versuch. Aber Daddo ließ sich nicht ablenken.

»Zurzeit hätte ich ja auch nichts davon«, sagte er. »Aber in zehn Jahren steht das an, Sohn, glaub mir. Dann bist du hier der Boss.«

Ich nickte. Spätestens seit meinem zehnten Geburtstag hatten wir regelmäßig solche Gespräche geführt und ich beneidete jeden, der nicht irgendwann einen Betrieb mit 54 Beschäftigten übernehmen musste.

»Also wie stehen die Aktien?«, fragte Daddo und stützte seine Hände auf den Oberschenkeln ab. »Verlust oder Gewinn gemacht?«

Dass das Gespräch auf diesen Punkt zulief, hatte ich die ganze Zeit gewusst; und genau darum versuchte ich noch einmal, ihm eine für mich günstigere Wendung zu geben.

»Ich könnte gut einen neuen Rechner brauchen«, sagte ich. »Meiner hat immer noch 1,2 Gigabyte und Markus hat jetzt einen gekriegt …«

»Gewinn oder Verlust?«, fragte Daddo, und jetzt war auch das letzte bisschen Reiseglück von seinem Gesicht verschwunden.

Ich merkte, wie sich meine Schultern ohne mein Zutun meinen Ohren näherten. »Ich bin nicht dazu gekommen nachzugucken«, murmelte ich.

Aber jetzt saß Daddo ganz aufrecht. »Nicht dazu gekommen?«, rief er und mit der rechten Hand schlug er kurz und heftig gegen die Sofakante. »Vier Tage lang nicht dazu gekommen? Ich dachte, das Thema hätten wir schon mehrfach besprochen, Calvin!«

Ich nickte. Ich nickte, weil es weiß Gott und wahrhaftig stimmte. Wir hatten das Thema nicht nur mehrfach, wir hatten es so oft besprochen, dass ich inzwischen fast die gleiche Angst davor hatte wie vor einer Mathearbeit.

Zum Geburtstag hatte Daddo mir für 10 000 Mark Aktien geschenkt. Klamotten hätte ich schließlich genug, hatte er gesagt, ein neues Schlagzeug hätte ich auch erst vor drei Wochen gekriegt und einen neuen Rechner vor zwei Monaten. Aus dem Alter für Lego-Technik war ich raus, meine Hockey-Sachen kriegte ich sowieso immer, wenn ich sie brauchte, Video und der ganze Kram war Weihnachten erst erneuert worden und einen Flug nach New York hatten sie mir zu Ostern geschenkt. Ihnen war einfach kein richtiges Geschenk mehr eingefallen.

Und ich war natürlich auch keine große Hilfe gewesen. Immer, wenn Momma mich so flehentlich angeguckt und gefragt hatte, was ich mir denn wünschte, hatte ich geradezu Schweißausbrüche gekriegt, weil mir nun wirklich nichts einfiel, und dabei legt Momma immer so großen Wert darauf, dass ich mich über meine Geburtstagsgeschenke freue.

Trotzdem war mir zum Geburtstag nichts mehr eingefallen und darum war Daddo dann auf seinen genialen Gedanken gekommen und ich musste jetzt die Folgen tragen.

Daddo hatte mir Aktien geschenkt. Für 10 000 Mark Aktien, von jeder Sorte ein paar.

Ich hatte VW und BASF und natürlich auch ein paar Telekom. So sehr hatte es mich schon gleich nicht interessiert. Und Daddo hatte gesagt, dass die zum Üben wären, ein Junge, der später mal einen Betrieb mit 54 Beschäftigten und Kontakten in alle Welt übernehmen sollte, konnte gar nicht früh genug damit anfangen, sich fürs Wirtschaftsleben zu interessieren.

Darum hatte Daddo sich an den Tagen nach meinem Geburtstag immer abends mit mir an den Esstisch zurückgezogen und den Wirtschaftsteil der Zeitung aufgeschlagen. Da hatte er mir dann die Aktienkurse gezeigt und welche gestiegen waren und welche gefallen, und er war dabei so aufgeregt und fröhlich gewesen wie vor vielen Jahren, als ich zu Weihnachten die riesige Eisenbahnanlage gekriegt hatte, fünf mal sechs Meter, die sie im zweiten Spielkeller hatten aufbauen lassen. Damit hatte Daddo auch bestimmt eine ganze Woche lang jeden Abend mit mir spielen wollen und wir hatten rote Schaffnermützen aufgesetzt und in kleine schwarze Trillerpfeifen geblasen und manchmal hatten wir die Züge mit Absicht zusammenstoßen lassen.

Aber nach einer Woche hatte Daddo dann wieder zu viele andere Verpflichtungen und alleine habe ich mich nicht zum Spielen in den Keller getraut. Ich war ja noch ziemlich klein damals, vielleicht vier oder fünf.

Und so furchtbar viel anders ging es mir jetzt mit den Aktien auch nicht. Ein paar Tage lang hatte Daddo mit mir Börse gespielt und mir erklärt, warum man diese Aktie jetzt vielleicht verkaufen sollte und warum es andererseits manchmal längerfristig durchaus sinnvoll sein konnte, an einem Aktienpaket festzuhalten, auch wenn die Kurse einmal fielen.

Mich hatte das alles nicht sehr interessiert, aber ich hatte mir Mühe gegeben. Weil Daddo so begeistert gewesen war wie ein kleiner Junge, wirklich. Aber jetzt erwartete er von mir, dass ich allein jeden Tag die Börsenkurse abcheckte und ihm dann sagte, was ich kaufen oder verkaufen wollte; und dabei konnte ich mir kaum irgendetwas vorstellen, das mich mehr gelangweilt hätte als diese blöden Papiere und der DAX und der Nikkei-Index und der Dow Jones.

»Du hättest längst verkaufen müssen!«, rief Daddo. »Weißt du, wie viel Verlust du eingefahren hast durch deine Schlamperei? Wenn du später mit der Firma mal genauso umgehst, hast du sie in weniger als einem Jahr zugrunde gewirtschaftet!«

»Das sind doch nur 10 000 Mark!«, sagte ich vorsichtig. Ich fand es nicht sehr fair, dass Daddo jetzt so tat, als ob von meinen paar Pfennigen wirklich etwas abhing.

»Nur 10 000 Mark!«, schrie er. »Nur! Als ich so alt war wie du, Sohn, da hatte ich in der Woche dreißig Pfennig Taschengeld!«

Fast hätte ich mir gewünscht, dass es mir genauso ginge.

In der Diele hörte ich wieder den Schlüssel im Schloss.

»Momma kommt«, sagte ich.

KEVIN

Natürlich hatte Nisi an diesem Nachmittag wieder ihren Schlüssel verbummelt, das tut sie ja oft, das dumme Kind, und ich war total wütend, weil ich natürlich schon wusste, welcher Ärger deswegen auf mich zukommen würde, einfach, weil ich immer zu gutmütig bin. Andererseits muss man nachträglich vielleicht sagen, dass es ein Glück war: Weil ich ohne den Streit, den ich wegen der Schlüsselgeschichte mit Mama hatte, eben niemals weggerannt wäre, und wenn ich nicht weggerannt wäre, wäre die ganze Story nicht passiert. Die Story, die ich jetzt erzählen werde, auch wenn sie mir kein Schwein glaubt.

Sowieso war ich ziemlich schlechter Laune, als ich an diesem Mittag nach Hause kam. Am Morgen in der Mathestunde hatte ich mich mit Tatjana gestritten und deswegen hatte ich eine Strafarbeit auf, von der ich wusste, dass ich sie nie im Leben machen würde; und das bedeutete natürlich, dass ich am nächsten Tag wieder Ärger mit der Mathelehrerin kriegen würde, dieser panischen kleinen Maus, und dazu hatte ich nicht so viel Lust. Dabei hätte sich die Strafarbeit leicht vermeiden lassen, aber ich war eben mal wieder zu blöde gewesen.

Tatjana und ich sind eigentlich schon ewig so eine Art von befreundet, jedenfalls seit Tatjana nach Deutschland gekommen ist, und das war ungefähr in der vierten Klasse. Da hat es sich irgendwie so ergeben und es war auch manchmal ganz praktisch. Für uns beide, meine ich. Aber von großer Liebe kann natürlich nicht die Rede sein.

An diesem Morgen war nun Sabrina zwei Stunden zu spät in die Klasse gekommen, erst in der Pause vor der Mathestunde, und hatte ihren Rucksack auf den Tisch geknallt.
»Es hat geklappt!«, hatte sie gesagt. »Ich bin in der Kartei!« Mich hatte das nicht so besonders interessiert. Ich stand mit Fabian am Klassenfenster und versuchte auf die Köpfe der Leute zu spucken, die unten vorbeigingen.
»Welche Kartei?«, fragte Özden.
Sabrina strich mit den Handballen seitlich an ihrem Body herunter, als müssten da irgendwelche Falten ausgebügelt werden. Dabei saß er so stramm, dass man jeden Pickel durch den dünnen Stoff hätte sehen können. Wenn jemand wie Sabrina Pickel gehabt hätte.
»Kleinstrollen, aber na ja«, sagte Sabrina und versuchte im Spiegel zwischen den Fenstern einen Blick auf ihr Gesicht zu erhaschen. »Fernsehen, Shows, so Kram. Das war der totale Nerv, bis die mich endlich genommen haben.«
Die Mädchen stießen schrille Schreie der Begeisterung aus und versammelten sich um Sabrina. Natürlich hatten einige sofort die Hoffnung, dass sie durch Sabrinas Vermittlung jetzt ins internationale Showbiz aufsteigen und Thomas Gottschalk und Richard Gere Hand und Mund würden reichen dürfen.
Nur Tatjana hockte gelangweilt auf ihrem Tisch und zog ein Kaugummi lang.
»So eine bescheuerte Scheiße«, sagte sie langsam. Sie sagte es nicht mal besonders laut, es ist also erstaunlich, dass es über dem ganzen Weibergekreische überhaupt zu hören war. Aber so ist Tatjana eben.
»Du bist ja nur neidisch!«, schrie Zekriye, und komisch, obwohl ich Sabrina und ihre Gefolgsfrauen bis eben genauso

blöde gefunden hatte, wie Tatjana das offenbar tat, fand ich jetzt, dass Zekriye wahrscheinlich Recht hatte.

Weil Sabrina nämlich einfach unanständig gut aussieht, das ist eine Tatsache. Sie hat eine Figur, an der *Hennes und Mauritz* aussieht wie *Marc Cain* oder *Max Mara*, nur dass ich von diesen Marken damals natürlich noch nichts gehört hatte. Und ihr Gesicht verrät mit keinem Zug, dass der Schädel dahinter vermutlich zu 90 % vakuumversiegelter Hohlraum ist. Ihre Schönheit ist alles, was Sabrina hat, aber die hat sie auch hundertpro und sie arbeitet stündlich daran. Sabrina ist zum Beispiel das einzige Mädchen in der Klasse, das niemals raucht und niemals Alk trinkt, weil sie sagt, davon geht die Haut zu Schrott. Alle Models müssen enthaltsam leben. Eigentlich hätten wir ihr also gönnen sollen, dass sie in diese Kartei gekommen war, aber das tat Tatjana ganz offensichtlich nicht. War es da nicht logisch, dass wir Neid vermuteten? Tatjana ist immer noch nur 1,48 groß und ihr Gesicht ist rund und ihre Waden sind ein bisschen dick, und ich konnte mir beim besten Willen keine Kartei vorstellen, in die eine Agentur Tatjana hätte aufnehmen wollen.

»Neidisch? Bist du durchgeknallt oder was?«, schrie Tatjana und sprang vom Tisch. Natürlich ist sie klein, aber das hindert sie nicht daran, kämpferisch zu sein.

Sabrina musterte sie von oben bis unten. »Ich nehm dir nichts übel, Schätzchen«, sagte sie. »Wenn ich aussehen würde wie du, wäre ich logisch auch neidisch.« Und damit wandte sie sich wieder ihrem Fan-Club zu.

Dass in diesem Augenblick die Mathemaus hereinkam, änderte natürlich nichts an der Situation. Ich will nicht sagen, dass es nicht vielleicht den einen oder anderen Lehrer gegeben hätte, bei dessen Eintreten wir uns stöhnend zu unseren

Plätzen begeben hätten; aber die Mathemaus war bestimmt keine von ihnen.

Von uns glaubten sowieso nicht mehr viele, dass sie den Hauptschulabschluss durch irgendetwas anderes als die pure Güte der Lehrer kriegen würden, und keiner in dieser Klasse war dumm genug zu vermuten, dass eine gute Mathenote irgendetwas zum Besseren verändern würde. Gute Mathenoten waren so ähnlich wie der Weihnachtsmann: Seit einem bestimmten Alter wusste man einfach, dass man uns ihre Existenz jahrelang nur deshalb eingeredet hatte, um uns lieb und artig zu halten.

»Guten Morgen, geht bitte an eure Plätze«, sagte die Mathemaus ohne viel Hoffnung und packte ihre Tasche aus. Sie guckte natürlich nicht in die Klasse um zu sehen, ob irgendwer tatsächlich auf ihren Vorschlag reagierte; wahrscheinlich hätte sie diesen Anblick nicht sechs Stunden täglich ertragen können.

Tatjana hatte sich inzwischen auf Sabrina und ihre Gruppe zubewegt. »Hast du was gesagt, du Schlampe?«, schrie sie, und die Mathemaus schlug die Seitenflügel der Tafel auf und begann ohne ein Wort die schweinischen Zeichnungen abzuwischen, die Bruno in der Pause produziert hatte. In Kunst hat Bruno eine Eins.

»Wenn ich deinen Arsch hätte«, sagte Sabrina gelangweilt, »ich würde mich erschießen.«

Tatjana atmete einmal tief durch. »Du widerliche alte ...«

Dann fiel ihr Blick unglücklicherweise auf mich und ich wusste sofort, dass es ein Fehler gewesen war, von Fabian wegzugehen und mit der Kunstspuckerei aufzuhören, nur um mitzuerleben, wer in diesem Weiberduell die Siegerin sein würde. Jetzt steckte ich mittendrin.

Tatjana nämlich hörte mitten im Satz auf und sah mich an, als ob sie etwas erwartete. Da war mein Urteil gesprochen. Ich begriff nicht sofort, was sie von mir wollte.

Ja, ja, das war dumm von mir, ich weiß. Wenn einer einem Typen die Braut beleidigt, springt der natürlich sofort mit gezücktem Degen auf die Bühne, um sie zu verteidigen, das weiß ich auch; aber in dem Augenblick dachte ich eben grade mal nicht so direkt daran, dass Tatjana sozusagen meine Braut war, so heiß war die Liebe schließlich nicht; und darum begriff ich auch gar nicht, was die ganze Geschichte mit mir zu tun haben sollte, bis Tatjana meinen Namen sagte.

»Kevin?«, sagte sie in so einem Ton, dass ich endlich begriff, sie wollte, dass ich mich für sie in den Kampf warf; aber blöderweise hatte Sabrina gerade den Körperteil beleidigt, den zu verteidigen ich irgendwie peinlich fand.

»Nun setzt euch aber endlich mal auf eure Plätze!«, sagte die Mathemaus, und obwohl niemand von ihr Notiz nahm, klang ihre Stimme nicht aufgeregt oder wütend. Unser Verhalten war das, was sie kannte und seit Jahren erwartete. Wenn wir uns plötzlich wirklich brav auf unsere Plätze gesetzt hätten, wäre sie vor Verblüffung vermutlich tot auf den schmutzigen Linoleumboden geknallt.

»Ja, Kevin, los, erzähl mal!«, schrie Sabrina. »Du kennst sie doch, oder? Du hast doch bestimmt schon mehr von ihr gesehen als wir! Los, sag mal, Kevin!«

Özden und Zekriye und die grässliche kleine Jessica kicherten und starrten mich an.

»Ach leckt mich doch alle!«, sagte ich wütend. Dann ging ich an meinen Platz und es war mir ganz egal, ob die Mathemaus wegen meines Gehorsams einen Schlaganfall kriegte oder nicht.

»Du alter Scheißkerl!«, schrie Tatjana und sprang auf mich zu. »Du blöder alter Scheißkerl!« Und dann schlug sie mir ihre Faust ins Gesicht, dass ich nur froh darüber war, dass ich meine Zahnspange vor ungefähr vier Jahren beim Fußball in der Umkleidekabine vergessen und mir nie eine neue besorgt hatte.

Einen Augenblick lang tat es saumäßig weh und ich spürte, dass mein vorderer rechter Eckzahn sich oben in die Lippe gebohrt hatte. Hinter mir stöhnte Sabrinas Fan-Club.

Ich bin ein sanfter, ruhiger Mensch, das kann jeder beschwören. Ich habe bestimmt noch nicht mehr Nasen blutig geschlagen, als es die Statistik für mein Alter empfiehlt, und ich musste auch erst zweimal wegen Prügeleien zum Schulleiter. Das ist so weit unter dem Durchschnitt, dass es mich fast schon beunruhigt.

Aber wenn mir eine voll eins auf die Zähne gibt, nur weil ich nicht aufgesprungen bin und die Schönheit ihrer Sitzkiste verteidigt habe, stößt auch meine Sanftmut an ihre Grenzen. »Tickst du nicht mehr richtig?«, schrie ich und dann packte ich Tatjanas Arm und drehte ihn so nach unten, dass sie auf die Knie ging und immer weiter, bis sie auch den Oberkörper vorbeugte, als ob sie das Linoleum ablecken wollte. »Hast du sie noch alle?«

Und weil ich Frauen aus Prinzip nicht schlage, ließ ich Tatjana danach los und setzte mich zum zweiten Mal.

Nun hätte man ja erwarten können, dass die Mathemaus mir einen freundlichen Blick zugeworfen hätte, weil ich fast der Einzige war, der saß, und noch dazu an meinem eigenen Platz. Aber Lehrer sind sonderbar, kein Mensch kann ihre Gedanken ergründen. Statt mit ihrem dicken Zeigefinger mit dem roten Nagel liebevoll auf mich zu zeigen und dem Rest der Klasse nahe zu legen, sich an meinem Vorbild zu orientieren, spießte sie mich in völlig anderer Absicht auf.

»Bottel!«, sagte sie. »Kevin Bottel! Ich gestatte keine Prügeleien in meinen Stunden!«

Und dann gab sie mir die Strafarbeit auf, Seite 46, Nummer fünf bis sieben im grünen Mathebuch, und dabei war ich noch nicht mal sicher, ob ich das Buch noch besaß, und wenn ja, wo es wohl stecken konnte.

Darum war mein Stimmungsbarometer an diesem Mittag an seinem tiefsten Punkt angekommen. Dass Nisi dann auch noch ihren Schlüssel verloren hatte, konnte mich eigentlich schon nicht mal mehr überraschen.

CALVIN

Momma gab Daddo einen Kuss und ließ ihre Sporttasche auf
den Boden fallen.
»Ach, schön, Liebling!«, sagte sie und strahlte ihren Duft
durch die ganze Diele ab.
Cerruti 1881, das schenkte ich ihr schon seit Jahren zu jedem
Weihnachtsfest und zu jedem Geburtstag. Da weiß man wenigstens immer ein Geschenk. »Hast du eine Maschine früher gekriegt?«
»Es lief alles so glatt«, sagte Daddo und befreite sich sanft
aus Mommas Umarmung. »Kein Grund mehr, länger zu bleiben. Gut siehst du aus.«
Momma lachte und versuchte einen Blick in den Dielenspiegel zu erwischen. »Dann können wir ja alle zusammen
essen«, sagte sie. »Margareta? Haben Sie das Mittagessen
fertig?«
Man hörte Margaretas eilige Schritte im oberen Stockwerk,
dann griff sie schon nach Mommas Tasche. Früher hatten
wir mal eine Putzfrau gehabt, die nur geputzt hatte, nicht
auch weggeräumt. Die hatte Momma nicht lange behalten.
»Kommt gleich auf den Tisch«, sagte Margareta. »Ist aber
Gemüsesuppe. Ich wusste ja nicht, dass die gnädige Frau und
der gnädige Herr ...«
»Gemüsesuppe ist wunderbar, Margareta«, sagte Momma.
Zu Anfang hat sie immer versucht, Margareta abzugewöh-
nen sie gnädige Frau zu nennen; aber Margareta hat darauf
bestanden. Was sich gehört, das gehört sich nun mal, hat sie
gesagt. Ich glaube, Margareta ist klug.

»Ihr erlaubt doch«, sagte Momma und zeigte auf ihre Trainingskleidung. »Nicht erst noch umziehen, oder? Ich habe einen Hunger wie ein Bär«, und sie ließ sich auf einen Stuhl fallen, während Margareta lautlos zwei zusätzliche Gedecke auf den Tisch stellte. »Und, Calvin? Wie war dein Tag?«
Ich seufzte und schob den Löffel auf der Platzdecke hin und her. »Ging so«, sagte ich ohne hochzugucken. »Wie immer.«
Aber Momma kann man schwer reinlegen. Sie hat nur zwei Aufgaben im Leben, aber beide erfüllt sie gewissenhaft und pflichtbewusst. Die erste besteht darin, dafür zu sorgen, dass sie mit fast sechzig noch immer aussieht wie höchstens Mitte vierzig, damit sie auf kleinen und größeren Empfängen vorzeigbar ist; und die zweite bin ich.
»Und die Mathearbeit?«, fragte Momma und bog ihre Schulter ein wenig vor, damit Margareta die Suppenterrine auf den Tisch stellen konnte. Auffüllen musste sie uns ja nicht. »Hättet ihr nicht die Mathearbeit zurückkriegen sollen?«
Ich griff nach der Schöpfkelle und füllte mir Suppe in den Teller. Bis morgen hätte ich die Note verschweigen können, einmal Unterschrift vergessen ist immer möglich. Aber danach hätte ich die Arbeit eben doch zeigen müssen, und wer wusste denn, ob die Situation morgen günstiger sein würde als heute. Heute war ich wenigstens nicht mit Momma allein und ich konnte mir nicht vorstellen, dass sie in ihr furchtbares Lamento über meine verlorene Zukunft auch ausbrechen würde, wenn Daddo dabei war.
Das gab den Ausschlag. »Der neue Nachhilfelehrer ist wohl doch nicht so gut«, sagte ich, und da wussten sie es natürlich schon.
»Doch nicht schon wieder eine Fünf?«, schrie Momma hysterisch, und nun hatte die arme Margareta sich ganz umsonst

abgemüht mit dieser wunderbaren Suppe, Gemüse geschnitzelt und mit Kräutern abgeschmeckt: Mommas Appetit war jetzt völlig zusammengebrochen. »Das kann doch nicht sein! Das ist doch unmöglich!«

»Wie viel kriegt der die Stunde?«, fragte Daddo. Wenn er nicht zuallererst immer an diesen pekuniären Fragen interessiert wäre, hätte er es im Leben nicht so weit gebracht. »Dieser neue Nachhilfemensch? Ich denk, das ist ein arbeitsloser Lehrer?«

»Ist er auch!«, schrie Momma. »Mathe/Physik!«

»Und schafft es bei fünfundvierzig Mark die Stunde ohne Steuern und Sozialabgaben nicht, dass das Kind wenigstens mal eine Vier schreibt?«, sagte Daddo. »Der ist zu Recht arbeitslos. Bei mir jetzt auch.«

Ich fand, dass das Gespräch die bestmögliche Wendung genommen hatte, aber ich wollte mich noch nicht wieder zu Wort melden. Wer wusste denn, ob Momma und Daddo dann nicht doch noch eingefallen wäre, dass ich ja auch, zumindest ein bisschen, mit meiner Mathearbeit zu tun hatte. Ich nahm mir noch eine Kelle voll Suppe.

Aber schon das war zu viel gewesen. »Wenn du dich natürlich auch überhaupt nicht für Zahlen interessierst!«, sagte Daddo und schlug mit der flachen Hand auf den Tisch. Das war natürlich ungerecht. Schließlich galt sein Zorn ja eigentlich dem Nachhilfelehrer. »Nicht für Aktienkurse, nicht für Mathematik, wahrscheinlich auch nicht für die Firmenbilanz …«

Ich zuckte zusammen. Daddo ist sonst eigentlich nicht so unberechenbar, aber die Zeitverschiebung zwischen Chicago und uns und eine Nacht fast ohne Schlaf hatten ihn empfindlich gemacht.

»Begreifst du nicht, dass Zahlen das A und O des Lebens sind? Mit Zahlen umgehen, das ist doch alles, was du später machen wirst, das ist doch alles, was ich täglich mache, es kann doch nicht sein …«

»Liebling!«, sagte Momma begütigend. Mein ganzes Leben lang hat sie mich gegen Daddo beschützt. Das ist schon oft ganz nützlich gewesen.

Daddo ließ die Schultern sinken und entspannte sich. Er hat mal irgendwo so ein biberteures Dreitageseminar für Führungskräfte mitgemacht, bei dem es um Stressmanagement ging. Seitdem atmet er regelmäßig tiefer durch.

»Gut!«, sagte Daddo und holte noch einmal ruhig Luft. »Gut, gut, gut. Aber ich sehe schon, dass ich mich auch um deine Schulangelegenheiten in Zukunft selber kümmern muss, ich habe ja auch sonst nichts zu tun«, und dann aß er langsam weiter ohne uns anzusehen. Momma warf mir einen bösen Blick zu.

Aber das war mir ziemlich egal. Verglichen mit Mommas halbstündigen Brücken-Obdachlosen-Arien waren diese zwei Minuten der reinste Spaziergang gewesen.

Noch weitere zwei Minuten schwiegen wir uns an, dann wurde mir die Situation ungemütlich. Es war wahrscheinlich pure Blödheit, dass ich wieder anfing zu reden, und dann auch noch mit diesem Satz, der die ganze Lawine schließlich ins Rollen brachte und ohne den die kommenden Wochen niemals so verlaufen wären. Damit etwas passiert, müssen ja immer viele Zufälle zusammenkommen.

»Ich könnte übrigens dringend einen neuen Rechner brauchen«, sagte ich halb in die Suppe. »Ich hab immer noch nur 1,2 Gigabyte und Markus hat jetzt einen, der …«

»Einen neuen Rechner?«, brüllte Daddo. Wahrscheinlich

steckt man mit zweiundsechzig eine Zeitverschiebung von mehreren Stunden eben doch nicht mehr so einfach weg. »Höre ich recht? Hat gerade eine Fünf geschrieben und zur Belohnung will er einen neuen Rechner?«

»Doch nicht zur Belohnung!«, schrie ich zurück, und das war natürlich denkbar unklug. »Weil ich ihn brauche! Weil schließlich jetzt alle neue kriegen! Und außerdem hat Informatik eine Menge mit Mathematik zu tun!« Und ich dachte, dass ich damit nun wirklich das richtige Argument aus dem Hut gezaubert hätte.

Immerhin war das Daddos eigenes Argument gewesen, als ich damals vor sieben oder acht Jahren meinen ersten PC gekriegt hatte: dass Computer eine ganze Menge mit Mathematik zu tun hätten und dass man einem Kind darum niemals früh genug einen Rechner schenken könnte.

Aber heute war Daddo wirklich schwer auszuhalten.

»Mit Mathematik?«, schrie er. »Und Informatik? Sag mal, willst du dich lustig machen über mich?« Und er starrte so böse über den Tisch, dass ich dachte, jetzt könnte er aber gut wieder eine von seinen Atempausen brauchen. »Wann hast du mit deinen vielen PCs denn jemals etwas anderes gemacht als Spiele eingeschoben? Immer, wenn etwas Neues auf dem Markt war, hast du es gekriegt! Und jedes Mal mit dem Argument, das wäre ja auch gut für die Schule!« Daddo schnaufte. »Aber ich habe dich damit immer nur spielen sehen!«, sagte er. »Noch nicht mal zum Abtippen für dieses Referat in Biologie vor einem halben Jahr, das dir diese nette kleine Studentin geschrieben hat, hast du ihn benutzt! Sogar das musste Momma für dich erledigen!« Und er schlug schon wieder auf den Tisch, dass ich dachte, ein Glück, dass Margareta kein besonderes Geschirr aufgedeckt hat.

Ich kniff die Lippen zusammen. Ich hatte das Gefühl, dass die Welt brutal und ungerecht war. Was konnte ich schließlich dafür, wenn dieser Nachhilfetyp es nicht geschafft hatte, mir Mathe zu erklären? Aber jetzt hatte ich den Stress und er saß wahrscheinlich gemütlich irgendwo in einem Park und ließ sich von der Sonne bescheinen.

Und was konnte ich dafür, dass Momma und Daddo schon so alt und darum in Stresssituationen nicht mehr belastbar waren? Wären sie zwanzig Jahre jünger gewesen, sie hätten sich bestimmt nicht so über meine Mathenote aufgeregt. Dann hätte ich den PC jetzt gekriegt. Das Leben war eine einzige Sauerei.

»Dann hättet ihr eure Kinder eben früher kriegen sollen!«, schrie ich und sprang auf. »Wenn ihr in eurem Alter keine Kinder mehr aushaltet!« Und ich rannte aus dem Zimmer und hörte nur noch von weitem, wie Daddo immerzu »Was hat das denn damit zu tun?« schrie. »Was hat das denn nun mit diesem Rechner zu tun?«

Aber das sollte er gefälligst mal selber rauskriegen.

KEVIN

Nisi saß ganz oben auf der Außentreppe, die zu unserer Haustür hinführt, und hatte ihr Deutschheft auf den Knien. Das Buch lag eine Stufe tiefer, und wenn sie sich nach vorne reckte um darin zu lesen, bekam man regelrecht Angst, dass sie die zwölf Stufen kopfüber in den Abgrund stürzen würde.

»Was machst du denn da?«, fragte ich unfreundlich. Meine Stimmung war seit der Mathestunde irgendwo ganz unten. »Warum gehst du nicht rein?«

Obwohl ich es natürlich längst wusste. Nisi hatte wieder mal ihr Schlüsselbund verloren, an dem die Schlüssel für die Haustür und die Wohnungstür und die Kellertür befestigt waren, und es würde fürchterlichen Ärger geben.

Vor einer Woche hatte sie schon einmal ein Schlüsselbund verloren, nachmittags im Turnverein, wo sie mitmachen durfte ohne Mitglied zu sein. Nur bei einem Unfall würde es schwierig mit der Versicherung werden, hatte die Trainerin ihr erklärt. Aber Mama hatte gesagt, bei einem Unfall würde es sowieso schwierig werden, wozu sich also Sorgen machen; und wenn Nisi so scharf darauf war zu turnen, sollte sie das gerne tun, aber bitte ohne Mitgliedsbeitrag und ihretwegen dann eben auch ohne Versicherung. Dafür war das Geld nun wirklich nicht da.

Nisi hatte versprochen, immer ganz vorsichtig zu turnen; aber dann auch noch darauf aufzupassen, dass ihr Schlüssel nicht aus der Umkleidekabine geklaut wurde, war wohl zu viel für sie gewesen. Schließlich war sie erst sieben.

»Geklaut?«, hatte Mama geschrien. »Bist du verrückt?
Weißt du, was es kostet, so einen Schlüssel nachmachen zu
lassen? Aber es ist ja dein Geburtstag, zu dem es dann nächsten Monat keine Geschenke geben kann«, und sie hatte sich
auf das Sofa geschmissen und die Beine von sich gestreckt.
»Oder glaubst du, ich such mir noch eine Putzstelle dazu?
Nur damit mein Fräulein Tochter immer schön ihre Schlüssel
verlieren kann?«
Nisi hatte geschluchzt und ich hatte gesagt, dass die Schlüssel
ihr doch geklaut worden waren. Dafür konnte Nisi schließlich nichts. Jeder weiß, dass sie in den Umkleideräumen
klauen wie die Raben.
»Ach nee?«, hatte Mama geschrien. »Und mit in die Halle
nehmen konnte sie das Schlüsselbund nicht? Und was ist,
wenn der Typ, der es mitgenommen hat, jetzt bei uns ein-
bricht? Warum sollte einer wohl sonst ein Schlüsselbund
klauen, wenn er nicht einbrechen will?«
Da hatte ich einen vierfachen Lachanfall gekriegt. »Was will
einer denn bei uns klauen!«, hatte ich gesagt, als ich wieder
sprechen konnte. »Der lässt uns doch glatt noch was hier,
wenn der diese Bruchbude sieht!«
Mama hatte sich übers Haar gestrichen. »Und der Video?«,
hatte sie kämpferisch gesagt. »Und der Fernseher?«
Nisi konnte seitdem abends nicht einschlafen, weil sie immer
darauf wartete, dass ein Einbrecher kam und unseren Fernseher und unser Videogerät abholte. Mit ihrem Schlüsselbund.
Zuerst hatte Mama gesagt, dass Nisi nach der Schule dann
von jetzt an eben immer vor dem Haus warten musste, bis
einer von uns kam, der ihr aufschließen konnte; aber dann
war ihr eingefallen, dass sie Frau Löwenig, die eine Etage

über uns wohnt, vor vielen Jahren mal einen Schlüssel für Notfälle gegeben hatte. An was für Notfälle Mama damals gedacht hat, kann ich mir nicht vorstellen, aber dass Nisis Schlüsselbund geklaut worden war, war jedenfalls auch ein Notfall und darum sagte Mama zu Frau Löwenig, dass wir jetzt unseren Schlüssel zurückbräuchten, und Frau Löwenig sagte, sie hätte nie einen gekriegt.

Da sagte Mama, dass der Schnaps Frau Löwenig inzwischen das Gehirn wohl völlig weggefressen hätte; wir wollten unseren Schlüssel, und zwar gleich. Da versprach Frau Löwenig mal zu gucken und schon nach drei Tagen kam sie mit unserem Schlüssel und sagte, sie hätte ihn unter den Strümpfen gefunden und sie wäre Mama richtig dankbar; bei der Suche nach unserem Schlüssel hätte sie endlich mal wieder alle Schubladen aufgeräumt.

Aber wenn Nisi jetzt schon wieder ein Schlüsselbund verloren hatte, gab es niemanden mehr, bei dem wir uns Ersatz holen konnten; und es war ja klar, dass Nisi Angst davor hatte, was Mama sagen würde. Beim Schlüsselschnelldienst beim Blitzschuster kostet ein Schlüssel über zehn Mark und schließlich hatte Nisi sogar drei verloren.

»Du bist aber auch eine dumme Trine!«, sagte ich und schloss die Haustür mit meinem Schlüssel auf. Nisi steckte die Schulsachen ordentlich zurück in ihren Ranzen. Sie ist das ordentlichste Kind, das ich kenne. Das kann sie nur von ihrem Vater haben.

»Ich hab überall gesucht!«, flüsterte Nisi und in den Augenwinkeln sammelten sich die ersten Tränen. »Ich hab auf dem Schulhof geguckt und in der Klasse hab ich auch geguckt und Julia Olschewski hat …«

»Wenn du die in der Schule verloren hast, kannst du sie

gleich vergessen«, sagte ich. »Die hat jede Wette längst einer in den Papierkorb geworfen oder das Klo runtergespült.«
»Man soll gefundene Schlüssel beim Hausmeister abgeben«, flüsterte Nisi. »Das hat Frau Kramer gesagt. Der Hausmeister ist das Fundbüro.«
Ich musste lachen. Ich versuchte mir vorzustellen, wie jemand aus meiner Klasse, der ein Schlüsselbund gefunden hatte, damit zum Hausmeister ging. Das war ja der Heuler der Neunziger.
»Die sind im Papierkorb, Herzchen, glaub mir«, sagte ich.
»Fundbüro ist Scheiß.«
Nisi schüttelte den Kopf und jetzt kullerten die Tränen richtig. »Vielleicht sind die beim Fundbüro!«, schluchzte sie. »Das hat Frau Kramer gesagt! Vielleicht sind die beim Fundbüro!«
Im Treppenhaus roch es wie immer und ich beeilte mich nach oben zu kommen. Ich möchte wirklich gerne wissen, wer da immer in die Ecken pinkelt. Zuerst hab ich gedacht, es ist vielleicht eine von den vielen Katzen aus der Kellerwohnung, aber jetzt glaube ich doch, dass es der alte Schuster ist, der ganz oben wohnt. Wenn der von seinen Sauftouren zurückkommt, schafft er es ganz einfach nicht mehr die ganze Treppe hoch.
Ich schloss die Wohnungstür auf. »Geh rein«, sagte ich und gab Nisi einen kleinen Stups. »Sie kommt ja gleich. Wenn du dann wenigstens die Hausaufgaben fertig hast, ist sie vielleicht nicht ganz so sauer.«
Aber das war natürlich Blödsinn. Hausaufgaben sind Mama nie wichtig gewesen. In unserer Familie reicht es im besten Fall für einen Hauptschulabschluss, sagt sie immer, und damit ist sowieso nichts zu machen. Und bei Ramon hat sie

damit natürlich auch Recht gehabt, aber Jacqueline hat wirklich eine Lehre angefangen, sogar beim Friseur, wo immer fünf Bewerberinnen auf eine Stelle kommen, und da ist Mama fast geplatzt vor Stolz. »Meine Tochter!«, hat sie gesagt und Jacqueline ganz ungläubig angeguckt. »Meine Tochter, Mensch! Wie find ich denn das!«

Bei Nisi allerdings entwickelte sich die Geschichte mit der Schule irgendwie beängstigend, und das konnte ja eigentlich nur an ihrem Vater liegen. Natürlich war Nisi jetzt erst in der zweiten Klasse, aber sie machte jeden Tag ihre Hausaufgaben und ihre Hefte sahen auch nach einem Jahr noch aus wie frisch gekauft. Niemals musste sie Mama oder einen von uns Großen nach irgendwas fragen und schon seit fast einem Jahr las sie die Fernsehzeitung jede Woche von der ersten bis zur letzten Seite. Sie hatte sogar gejammert, dass sie gerne ein Buch zu Weihnachten haben wollte, aber Mama hatte gesagt, dass sie mit solchem Schnickschnack gar nicht erst anfangen sollte. Das wäre doch zu nichts nütze und machte nur Ärger. Darum hat Nisi zu Weihnachten zwei Gameboy-Spiele gekriegt, gebraucht, aus der Anzeigenzeitung, die konnte sie auf meinem alten Gameboy spielen, und sie hatte weiter die Fernsehzeitung lesen müssen.

Aber weil sie mir irgendwie so Leid getan hatte mit ihren ordentlichen Heften und ihren guten Noten und ihren verrückten Wünschen, mit denen sie in unserer Familie nun bestimmt nichts werden konnte, hatte ich ihr vor vier Wochen aus unserer Klassenbücherei ein Buch mitgebracht und sie hatte sich halb totgefreut und den ganzen Nachmittag und den ganzen Abend auf dem Boden gelegen und überhaupt nicht gemerkt, wenn man über sie rübergeklettert war.

Wir haben in unserer Klasse nämlich eine Bücherei, weil der

Deutschlehrer immer noch denkt, vielleicht könnte er einen
von denen, die lesen können, doch dazu kriegen, auch mal
in ein Buch zu gucken; aber die meisten finden es schon stres-
sig genug, in der Fernsehzeitung nach Sendungen zu suchen,
da haben sie hinterher nicht auch noch die Kraft für irgendwelche albernen Abenteuer im Wilden Westen oder im ewi-
gen Eis.

Der Deutschmann ist darum also fast vom Stuhl gekippt, als
ich zu ihm gekommen bin und gesagt hab, ich wollte was
ausleihen. Ein Leuchten ist über sein Gesicht gezogen und er
hat gefragt, was es denn sein soll. Welche Art von Buch oder
so. Wahrscheinlich hat er gedacht, nun haben sich seine An-
strengungen über all die Jahre doch noch gelohnt.

»Was Geiles«, hab ich gesagt. Ich wusste ja nicht, was es da
so alles gibt und was Nisi mochte.

»Abenteuer?«, hat er gefragt. »Wildwest? Krimi? Tiere?«
Ich hab an Nisi gedacht und mir überlegt, dass sie wahrscheinlich keine Nacht mehr schläft, wenn man ihr Sachen mit Tot-
schlagen gibt, und darum hab ich mich für Tiere entschieden.

»Da hab ich aber nur Pferdebücher«, hat der Deutschmensch
zweifelnd gesagt und so ein kleines buntes Teil aus dem Regal
gezogen. »Das lesen eigentlich mehr die Mädchen. Macht
das nichts?«

»Nö, mir ganz egal«, hab ich gesagt. »Pferde find ich geil«,
und er hat meinen Namen auf so ein Kärtchen geschrieben,
das war totenleer. So furchtbar gerne lasen die Mädchen das
also wohl auch nicht.

Aber Nisi ist wie gesagt vor Begeisterung fast gestorben und
sie hat sich hinter dem Sofa auf den Boden gelegt, damit der
Fernseher sie nicht beim Lesen stören sollte. Da hätte ich sie
am liebsten geknuddelt.

Der absolute Wahnsinn war natürlich, wie ich am nächsten Morgen das Buch zurückgebracht hab und gleich wieder ein neues wollte.

»War doch nicht so gut, oder?«, hatte der Deutschmann vorsichtig gefragt und mich forschend angeguckt. »Hast du doch nicht gelesen?«

»Doch, total geil war das«, hab ich gesagt. »Wie sie das Pony da über das Moor schleppen und dann erwischen die Bullen sie fast und nachher darf diese Carina das Pony behalten.«

Das hatte mir Nisi am Abend vorher noch alles ganz aufgeregt erzählt, als sie nicht einschlafen konnte, und ich fand auch, dass man dem netten Deutschmann ruhig mal eine kleine Freude machen konnte.

»Wirklich?«, hatte er ganz glücklich gesagt und mir ein Buch gegeben, das *Susanne rettet den Ponyhof* hieß. »Das hier ist so ähnlich.«

Ich hatte natürlich höllisch aufgepasst, dass mich aus meiner Klasse keiner sah, und am Abend hatte ich zu Nisi gesagt, dass es so natürlich nicht weitergehen konnte. Nicht jeden Tag ein Buch. Dann glaubte der Deutschmensch nachher, ich wäre Goethe oder psychologisch gestört. Einmal die Woche musste reichen.

Nisi hatte gesagt, das wäre okay, wenn sie das Buch dann auch immer die ganze Zeit behalten durfte. Dann konnte sie es in der Woche ja ein paar Mal lesen.

Natürlich könnte es einem Angst machen, wenn man so eine Schwester hat, aber ich sage mir immer, dass Nisi schließlich einen anderen Vater hat als Ramon, Jacqueline und ich. Unserer ist ja nach meiner Geburt gleich abgehauen, weil ihm der Stress zu viel geworden ist, und Mama sagt, wenn sie ehrlich ist, kann sie ihm nicht mal einen Vorwurf machen. Wir waren wirklich mindestens so schlimm wie die Vorhölle. Darum hat Mama sich dann ein paar Jahre nicht mehr um Männer gekümmert, und als sie das erste Mal wieder mit einer Freundin auf der Piste war, hat sie gleich diesen Türken kennen gelernt, von dem sich erst nachträglich rausgestellt hat, dass er eine Familie hatte und in die Türkei zurückwollte. »Eins mehr macht nun auch schon nichts mehr aus«, hat Mama gesagt, als ihr morgens immer übel wurde; und so sind wir also zu Nisi gekommen.

Jetzt gerade saß sie am Küchentisch und heulte auf die kratzfeste Arbeitsoberfläche. »Sie schimpft bestimmt«, schluchzte Nisi, »sie ist ganz bestimmt böse mit mir«, und weil sie mir so Leid tat und weil ich schließlich ihr großer Bruder war und weil ich nun auch schon die Geschichte mit den Büchern für sie machte, fühlte ich mich irgendwie verantwortlich.

Obwohl es natürlich blöde war. Aber so ist die ganze Sache gekommen.

»Komm, hier hast du mein Schlüsselbund«, sagte ich und zog es aus der Hosentasche. »Dann sag ich eben, ich hab meins verloren.«

Nisi starrte mich an, als ob sie es nicht glauben konnte.

»Du bist aber lieb, Kevi«, sagte sie, und da kriegte ich so ein gutes Gefühl, wie es wahrscheinlich auch die Typen in den Filmen immer kriegen, wenn sie mal wieder jemanden in letzter Sekunde gerettet haben. Sonst würden die das doch nicht immerzu tun.

Aber ich war auch ein bisschen überrascht, dass Nisi nicht gesagt hatte, sie könne das Schlüsselbund nicht annehmen, weil man nicht lügen dürfe. So eine ist Nisi nämlich eigentlich.

Das wäre mir natürlich besser bekommen und diese Geschichte wäre zu Ende, noch bevor sie richtig angefangen hat. Aber diesmal hatte Nisi eben ungewöhnlicherweise keinerlei Skrupel Mama zu beschwindeln, und so kriegte das Schicksal seine Chance.

»Schlüssel verloren?«, brüllte Mama, als sie nach Hause kam und ich ihr meine Geschichte erzählte. »Bin ich im Irrenhaus oder was? Vor einer Woche Nisi und jetzt du? Soll das hier jetzt Mode werden oder was?«

Ich sagte, das sollte es nicht.

»Aber dann sorgst du auch selber dafür, dass du neue kriegst!«, schrie Mama. »Seh ich ja gar nicht ein, dass ich die besorge! Du bist ja wohl alt genug!«

»Ich kann das ja von meinem Zeitungsgeld nehmen«, sagte ich. Schließlich trage ich jede Woche einmal Zeitungen aus und das Geld kriegt Mama. Es ist ja wohl logisch, dass jeder, der kann, mit für die Familie sorgt, sagt sie. Das finde ich irgendwie auch.

»Dein Zeitungsgeld?«, schrie Mama darum. »Darf ich dich daran erinnern, dass die paar Pfennige noch nicht mal für das Essen reichen, das du jeden Tag verdrückst? Und für deine Klamotten erst recht nicht! Nee, nee, da musst du dir schon was anderes überlegen, wie du zu Geld kommst! Neue Schlüssel nur von deinem Geld!«

»Alte Kuh«, sagte ich ruhig, und Mama holte mit ihrer Wolljacke aus und zog mir eins über den Rücken.

»Hau ab, du!«, brüllte sie. »Hau ab, du!«

Ich tippte mir mit zwei Fingern gegen die Stirn, wie es die Matrosen in alten Schwarzweißfilmen immer machen, wenn sie *Aye, aye, sir* sagen.

»Schon passiert«, sagte ich.

Ich war sauer auf Mama, aber trotzdem hatte ich natürlich nicht wirklich vor abzuhauen, auch wenn ich jetzt ging und auch wenn Mama mich zum Abhauen aufgefordert hatte. Das tat sie jeden Tag schließlich mindestens einmal.

Es hat sich einfach so ergeben.

CALVIN

Ich bin vor lauter Wut nicht mal mehr hoch in mein Zimmer, um mir vielleicht Geld einzustecken; ich bin vom Esszimmer gleich zur Haustür und raus.

Von Abhauen kann aber natürlich überhaupt nicht die Rede sein; ich konnte zu dem Zeitpunkt ja noch nicht mal ahnen, dass es so etwas Ähnliches werden und wie lange ich wegbleiben würde. Ich wollte nur einfach raus, weg von den Wehklagen über meine schlechten schulischen Leistungen und dem ständigen Genörgel über Zahlen und Aktien und Zukunft.

Ich nahm mein Rad aus dem Anbau und fuhr los. Ich dachte nicht darüber nach, wohin ich fahren wollte, weil ich mit meinen Gedanken einfach nur mit dem ganzen Elend meines Daseins beschäftigt war. Ich konnte mir nicht vorstellen, dass es viele Jungs in meinem Alter gab, denen es ähnlich dreckig ging wie mir.

Erst als ich an den Containerschiffen für Asylbewerber und dem teuren Altersheim vorbeifuhr, begriff ich, dass ich mich in Richtung Hafen bewegte.

Als ich klein war, sind Daddo und ich da manchmal hingefahren und haben uns die Schiffe angeguckt und zuerst ein Fischbrötchen und dann ein Eis gekauft. Danach haben wir den Fahrstuhl runter in den alten Elbtunnel genommen und sind unter dem Fluss zur anderen Seite gegangen; und die ganze Zeit hat Daddo mir vom menschlichen Fortschritt und der Kühnheit erzählt, die vor fast hundert Jahren dazu gehörte, so einen Tunnel zu bauen. Darum hatte ich dann auch die ganze Zeit so ein gruseliges Gefühl, als ob oben vielleicht gleich das Wasser durch die Tunneldecke brechen würde.

Aber weil Daddo dabei war und weil Daddo doch wissen musste, was richtig gefährlich war und was nicht, wurde das gruselige Gefühl nur gerade so stark, dass es schön und aufregend und besonders war; und ich guckte mir die Kacheln an der Wand an, aus denen Fische und Seesterne und andere Meerestiere im Relief ragten, und freute mich auf das Eis, das es auf der anderen Tunnelseite bestimmt wieder geben würde.

Diesmal hatte ich kein Geld für Eis, aber der Tunnel war kostenlos und ich schob mein Fahrrad zu den Autos, die schon im Fahrkorb standen, und ließ mich langsam nach unten transportieren. Allmählich kriegte ich wieder bessere Laune.

Schließlich konnte niemand mich zwingen den Stress zu Hause ewig auszuhalten. Wenn ich achtzehn war, würde ich ausziehen und meine Aktien verkaufen und nur noch tun, was ich wollte. Vielleicht würde ich nach Australien gehen und Schafe züchten oder nach Kanada als Holzfäller. Ich würde mich so weit von all diesen Börsenkursen und Bilanzen und Finanzen wegbewegen, wie es nur ging.

Mein Stimmungspegel stieg. Es konnte natürlich sein, dass ich mich eines Tages doch für alle diese Dinge interessieren würde. Wenn ich das biblische Alter von dreißig oder fünfunddreißig erreicht hatte, vielleicht. Dann würde ich nach Hause zurückkommen und meine Schafe in Australien lassen und mir einen Ferrari kaufen und die Firma übernehmen. Aber nur, wenn ich selber dazu Lust hatte.

»Hat man Töne!«, schrie der Mann, der den Fahrstuhl bediente. Gerade waren wir unten angekommen und eins nach dem anderen fuhren die Autos aus dem Korb. »Bist du schon wieder hier? Dir sollte man doch ...« Und er versuchte nach meinem Lenker zu greifen.

Dafür, dass ich völlig unvorbereitet war, kann ich über meine Reaktionsgeschwindigkeit nicht klagen. Ich sprang auf den Sattel und raste davon, an den Autos vorbei durch die rechte Röhre, während hinter mir der Mann immer noch schrie.

»Komm du nur wieder zurück!«, brüllte er. »Na warte, trau du dich bloß! Beim nächsten Mal ruf ich die Polizei!«

Jedenfalls glaube ich, dass er das schrie. Das Motorengeräusch der Autos war im Tunnel ja doch ziemlich laut.

Erst als ich ungefähr die halbe Strecke zur anderen Seite geschafft hatte, wurde ich langsamer. Ich überlegte, was der Typ gegen mich haben konnte. Schließlich hatte ich mich an die Schilder gehalten, die im Fahrstuhl das Rauchen verboten, und ich hatte nicht auf den Boden gespuckt. Ich hatte während der Abwärtsfahrt keinen Mercedes-Stern und keine Antenne abgebrochen und ich hatte niemandem den Lack zerkratzt. Vielleicht sollte der Fahrstuhlmann sich mal untersuchen lassen.

Auf der anderen Seite blieb ich vor dem Kiosk stehen, an dem Daddo mir früher immer mein Eis gekauft hatte. Dann fiel mir ein, dass sich in meinen Taschen kein Penny befand.

Ich wollte gerade wieder gehen, als der Kioskbesitzer von seiner Zeitschrift aufsah.

»Bist du immer noch da?«, schnaubte er. »Entweder kaufen oder phht!, die Fliege, hab ich dir doch schon mal gesagt, oder? Rumlungern ist hier nicht!« Und er knallte das kleine Schiebefenster so energisch zu, dass die Scheiben im Rahmen klirrten.

Ich fand es schon verblüffend, wie nervös manche Menschen waren. Eigentlich hätte man doch vermuten sollen, dass so

ein ruhiger Job zwischen Zeitungen und Zigaretten ein aus-
geglichenes Gemüt hätte fördern müssen; aber bei diesem
Menschen hatte es ganz im Gegenteil zu Störungen der
Wahrnehmungsfähigkeit und unbegründeter Erregbarkeit
geführt. Ich kannte sonst niemanden, der bei den drei oder
höchstens fünf Sekunden, die ich vor dem Fensterchen ver-
bracht hatte, schon von Herumlungern geredet hätte.
Aber heute hatte das Schicksal beschlossen, bei mir mal ordentlich an die Tür zu klopfen. Noch während ich bedau-
ernd den psychischen Zustand des Kioskbetreibers bedachte,
griff plötzlich eine Hand nach meiner Schulter.
»Hab ich dich doch noch erwischt!«, schrie eine Männer-
stimme und dann wurde es endgültig wie in einem Film, und
zwar in einer von diesen billigen Vorabendserien, bei denen
man hinter der Rolle immer noch den Schauspieler sieht und
zufallende Türen regelmäßig die Pappwände der Dekoration
zum Schwanken bringen, sodass man sich zurücklehnen
kann mit dem guten Gefühl: Was immer auch passieren mag,
passiert nicht wirklich.
»Hau ab!«, schrie nämlich jetzt eine zweite Stimme. »Nun
renn doch schon!«, und im selben Moment ließ die Hand
meine Schulter genauso schnell wieder los, wie sie eben zu-
gegriffen hatte, und weil ich ihr keine zweite Chance geben
wollte, gehorchte ich der Stimme und rannte los.
Mir muss niemand erzählen, dass es klüger gewesen wäre,
das Rad zu nehmen; aber das lehnte neben dem Tunnelein-
gang, und wer konnte sagen, ob auf dem Weg dorthin nicht
wieder die Hand nach mir gegriffen hätte.
In Leichtathletik bin ich nicht schlecht; ich beschleunigte in
drei Sekunden von null auf hundertachtzig. Aber was dabei
in meinem Kopf vor sich ging, hatte nicht ganz das gleiche

Niveau. In welchen Film war ich geraten? Wieso hatten im Abstand von fünf Minuten drei Menschen bei meinem Anblick das Gefühl, mich gerade eben erst gesehen zu haben? Hatte ich einen Doppelgänger? Einen Zombie oder einen Außerirdischen, der meine Gestalt angenommen hatte, um hier im Elbtunnel sein Unwesen zu treiben? Das Leben war doch schließlich kein Horrorfilm.

Hinter mir hörte ich Schritte. Jemand lief mir nach, jemand, der wie ich in drei Sekunden von null auf hundertachtzig beschleunigt hatte und der Turnschuhe trug. Jemand wie ich.

Ich versuchte meine letzten Reserven herauszuholen. Entweder, das da hinter mir war der Typ, der mir die Hand auf die Schulter gelegt hatte: Dann war es auf alle Fälle klug zu gucken, dass ich wegkam. Oder es war mein Doppelgänger, der Zombie, und dann konnte mich sowieso nichts mehr retten.

Die Schritte hinter mir kamen immer näher. »Nun bleib doch endlich mal stehen, Mann!«, schrie eine Stimme, die so atemlos klang, wie ich mich fühlte. »Den Typen haben wir doch längst abgehängt! Der hat doch lange keine Chance mehr!« Die Stimme klang nicht sehr zombiehaft. Obwohl man ja nie weiß. Die Stimme klang völlig normal und kein bisschen außerirdisch und irgendwie auch sehr vertraut.

Ich blieb stehen und stützte meine Hände auf die Oberschenkel, um Luft zu holen. Dann sah ich hoch.

Vor mir stand ich selber.

KEVIN

Ich war ein Stück mit der U-Bahn gefahren und hatte mich
geärgert, dass ich keinen Walkman mitgenommen hatte. Das
hätte ich jetzt gut brauchen können, volle Pulle aufdrehen
und dann zugucken, wie die Omis und Opis ringsum ihre
Gesichter verziehen. Und keiner traut sich was zu sagen.
Aber ohne Walkman war U-Bahn-Fahren irgendwie nicht
das Wahre und durch die Kaufhäuser laufen wollte ich auch
nicht. Wenn ich so eine miese Laune habe, kriege ich immer
Lust was mitgehen zu lassen, und darauf hatte ich jetzt wirklich keinen Bock. Ramon haben sie ein paar Mal dabei erwischt und so was kann doch ziemlich Ärger machen.
Darum stieg ich aus, als wir am Hafen angekommen waren.
Hafen ist immer gut.
Ich wühlte in der Hosentasche, ob ich nicht wenigstens ein
bisschen Geld dabeihatte; meine Zigaretten waren mir aus-
gegangen und ich hatte das Gefühl, ein paar Züge könnten
mich jetzt vielleicht wieder in Stimmung bringen.
Aber in der Tasche war keine einzige Münze. Dafür fand ich
etwas anderes, das meine Laune mindestens so hob, wie eine
Zigarette das getan hätte.
Martin aus meiner Klasse kauft mit seiner Familie immer in
so einem Laden ein, der CheapShop heißt und in dem sie Sachen aus Versicherungsschäden verkaufen. Manchmal haben
die natürlich schon irgendwelche kleinen Macken, aber meistens sind sie trotzdem noch ziemlich okay, und Martin sagt,
der CheapShop ist das Hobby seiner Mutter. Der Mensch soll
ja ein Hobby haben, das hält ihn ausgeglichen und gesund.

Zu Silvester hatten sie da also Riesenpackungen Knaller gekauft, vor allem Chinaböller, so viele, dass es wahrscheinlich
noch für die nächsten drei Generationen gereicht hätte. Es
war vollkommen unmöglich gewesen, die Böller zu Silvester
und an den Tagen danach zu vernichten, obwohl wir mit fünf
Mann wirklich unser Bestes gegeben und keine freie Sekunde
ausgelassen hatten. Martin hatte sein Sturmfeuerzeug fünf-
mal nachfüllen müssen, aber irgendwann, so um den zehnten
Januar rum, hatten wir einfach keine Lust mehr und wir
hatten außerdem das Gefühl, mehr geleistet zu haben, als
man eigentlich von uns verlangen konnte.

Da teilte Martin dann den Rest zwischen uns auf, jeder kriegte noch so ungefähr zehn, zwölf Schinken und seitdem müssen die Lehrer immer mal wieder tagelange und leider jedes
Mal erfolglose Detektivarbeit leisten um rauszukriegen, wer
die Explosion im Mädchenklo oder im Jungsumkleideraum
ausgelöst hat. Klos sind wegen ihrer Akustik für Böller ja
einfach ideal.

Ich hatte gar nicht gewusst, dass ich noch einen Böller bei
mir hatte, der einsam und verlassen auf dem Grund meiner
Hosentasche ruhte und geradezu danach schrie, in die Luft
gejagt zu werden. Und dafür war ich hier natürlich an einer
optimalen Stelle.

Als kleines Kind bin ich manchmal durch den Elbtunnel gelaufen, mit Mama und Ramon und Jacqueline, wenn Mama
mit uns einen Sonntagsausflug machen wollte, und schon
damals habe ich den Hall total aufregend gefunden. Schul-
klos mögen ja normalerweise ideale Böllerabschussplätze
sein, aber mir war schon klar, dass sie keine Chance hatten
mit dem Tunnel zu konkurrieren. Ich freute mich richtig auf
das Dröhnen, das nach der Explosion durch die Röhre rollen

würde, als ich in den Fahrstuhl stieg. Als die Tür sich unten öffnete, warf ich den Böller.

Leider konnte ich den Effekt nicht voll auskosten, weil ich losrennen musste; man muss ja immer damit rechnen, dass andere Leute mit abgestumpfter Genussfähigkeit nicht so viel Verständnis für die Freuden des Feuerwerks aufbringen wie man selber, das kenne ich schon aus der Schule. Darum nahm ich meine Beine in die Hand und rannte.

Trotzdem kriegte ich mit, dass ich einen wunderbaren Knall ausgelöst hatte, der donnernd durch die Tunnelröhren rollte, und mir taten die Leute in ihren Autos wirklich Leid, die nicht flexibel genug waren das Ereignis genauso zu genießen wie ich. Ich nahm mir vor, demnächst noch mal mit ein paar Kumpels vorbeizukommen und dann gleich einen ganzen Schinken hochgehen zu lassen. Das wäre wahrscheinlich der absolute Sound des Jahrtausends.

Auf der anderen Tunnelseite hatte ich einen Augenblick lang Angst, dass vielleicht jemand angerufen und meine Ankunft angekündigt hatte, aber ich kam heil in den Fahrstuhl und heil wieder raus und darum lehnte ich mich erst mal einfach gegen so einen kleinen Kiosk mit Zeitungen und Süßkram und verschnaufte.

Aber der Kioskbesitzer hatte es offensichtlich mit der Galle. Ich hatte bestimmt noch keine volle Minute lang meinen Ellenbogen auf sein Tresenbrettchen gestützt und die Überschriften auf den Titelseiten der Zeitschriften gelesen und mich dabei beeumelt über die ganz unterschiedlichen Busenformen, die man bei den Damen studieren konnte, die sich für solche Zwecke ablichten lassen, als er schon sein Fenster aufriss.

»Willst du was?«, fragte er unfreundlich.

»Gibt's denn was gratis?«, fragte ich unschuldig.

»Mach, dass du wegkommst!«, sagte der Kioskmann. »Aber schleunigst!« Und ich hatte mich gerade auf ein nettes Gespräch mit ihm eingestellt, das seinen Charme daher nehmen sollte, dass sich die Lautstärke allmählich steigern und die Adern an den Schläfen des Typs vortreten würden, als ich den Kerl in der blauen Uniform am Ausgang des Tunnels sah. Er sah sich suchend um, und da wusste ich, dass ich mich vielleicht doch lieber an die Empfehlung des Kioskbesitzers halten und mir die übrige Gegend auf dieser Seite des Tunnels ansehen sollte.

Der blaue Kerl jedenfalls sah nicht sehr gemütlich aus. Ich wäre jede Wette eingegangen, dass er zu irgendeinem privaten Wachdienst gehörte, und da wusste ich, dass sie im Tunnel jetzt doch telefoniert hatten und dass ich das Opfer dieses Kopfgeldjägers werden sollte. Es tat mir Leid um seine Prämie, aber ich musste schließlich auch an mich denken. Ich drehte dem Tunnel den Rücken zu und schlenderte ein paar Schritte die Hafenanlagen entlang. Dann setzte ich mich auf eine Treppe, die nach unten zum Wasser führte, und tat, als ob ich einer von den Leuten wäre, die sich zur Entspannung eine Städtereise für 999,– mit der Bundesbahn gegönnt haben und nun für mindestens 1000,– glotzen wollen, damit sie das Gefühl haben können, dass ihr Geld gut angelegt ist.

Furchtbar aufregend war der Blick über den Fluss von dieser Stelle aus nicht, aber trotzdem hatte ich schon für ungefähr 777,– geglotzt und ich hätte auch die restlichen 223,– noch durchgestanden. Dann wäre der blaue Menschenjäger wahrscheinlich verschwunden gewesen und ich hätte Deckung hinter irgendeinem größeren Auto nehmen und unbemerkt auf die andere Seite zurückwandern können. In solchen Sachen habe ich Erfahrung.

Aber leider machte ich den Fehler, mein Sightseeing für einen Augenblick zu unterbrechen, um kurz um die Ecke zu gucken. Es konnte ja sein, dass der Gorilla schon jetzt verschwunden war, und dann hätte ich gerne auf einen weiteren Aufenthalt auf der Treppe verzichtet. So wild bin ich gar nicht auf Sehenswürdigkeiten und außerdem hatte ich ja nicht mal meine Kamera dabei.

Und da sah ich ihn. Er trug eine *Diesel*-Lederjacke, wie sie nur ein Idiot anbehält, wenn er sich weiter als von der Haustür zur Garage in der Öffentlichkeit bewegen will, weil jeder einigermaßen denkende Mensch weiß, dass solche Teile einem abgezogen werden, sobald man den Schutz des heimischen Herdes verlässt; und genau auf diesen Knaben bewegte sich jetzt der Kopfgeldjäger zu, von hinten und mit so einem fiesen Schleichgang, wie man es von derart Heimtückern ja aus Filmen kennt, und ohne dass ich lange nachdenken musste, wusste ich auch, warum.

Ich bin ehrlich nicht diese edle Sorte, die in Kinderfilmen und Frauenromanen vorkommt, auch wenn man es vielleicht glauben könnte, nachdem ich Nisi mein Schlüsselbund gegeben hatte. Wenn irgendwas nach Guttat riecht, überlege ich dreimal, ob ich da einsteigen will, und in 98 % der Fälle ist es No-Go. Aber irgendwie fand ich es doch nicht so gut, wenn dieser *Diesel*-Knabe, dem man schon von hinten ansah, dass er keine Ahnung vom Leben hatte, nun an meiner Stelle für den Böller büßen sollte. Ich hätte es natürlich auch witzig finden können, klar, aber dafür kann ich diese blauen Kerle mit den Handys am Gürtel und den Schulterklappen auf der Jacke einfach zu wenig ausstehen. Da bin ich dann schon automatisch auf der anderen Seite.

Ich hab noch keine Arthritis und darum legte ich einen kleinen Sprint ein und kam gerade bei dem Gorilla an, als er dem Knaben seine Hand auf die Schulter legte.

»Hab ich dich doch noch erwischt!«, schrie er. Seine Stimme war mindestens so unsympathisch wie seine Schulterklappen und ich begriff, dass hier endlich die Gelegenheit war einen von den Griffen auszuprobieren, die Jacqueline in ihrem Kurs *Selbstverteidigung für Frauen* gelernt und der ganzen Familie hinterher auf dem Flur beigebracht hatte; und man sollte es kaum glauben: Es funktionierte wie nichts. Der Kopfgeldjäger ging in die Knie und ich schrie dem Jungchen zu, dass er abhauen sollte, und erst als er genügend Abstand hatte, ließ ich den Blauen los und sprintete hinterher.

Ich fühlte mich saugut.

Ehrlich jetzt, ich falle normalerweise nicht mit irgendwelchen Griffen über Leute her und zwinge sie in die Knie, und gerade darum fand ich es nicht schlecht, dass es diesmal nötig gewesen war, sozusagen für einen guten Zweck. Man soll natürlich einen Abscheu vor Schlägereien haben, aber wenn man ein wehrloses Geschöpf dadurch der Gerechtigkeit zuführen kann, ist eben alles ganz anders.

Ich rannte hinter der Lederjacke her und ich merkte schnell, dass der blaue Feind gar nicht erst versucht hatte uns zu verfolgen. Aber der *Diesel*-Junge hatte das offenbar nicht gemerkt. Jedenfalls rannte er immer noch wie blöde und als ob er am Abend noch unbedingt zu Fuß bis Amsterdam kommen wollte.

Aber ich hatte unglücklicherweise keine holländischen Gulden eingesteckt und mein Reisepass war auch abgelaufen. Darum wollte ich lieber bleiben.

»Nun bleib doch endlich mal stehen, Mann!«, schrie ich darum. »Den Typen haben wir doch längst abgehängt!«

Diesel vor mir gab seinen Trip über die Grenze auf und hielt schnaufend an. Vielleicht hatte er auch im Fernsehen einen von diesen Filmen darüber gesehen, dass auch die Grachtenmetropole längst nicht mehr ist, was sie mal war. Er stützte seine Hände auf die Oberschenkel und daran merkte ich, dass er doch ziemlich ausgepowert war. *Nike Air*-Schuhe sind eben doch nicht alles, wenn man rennen muss. Kondition kann da auch ganz nützlich sein.

Er holte ein paar Mal tief Luft, dann sah er mich an.

Und ehrlich jetzt und kein Scheiß: Vor mir stand ich selber.

CALVIN

Ich merkte, dass mein Kreislauf drauf und dran war schlappzumachen, und schloss die Augen. Dann holte ich tief Luft. Daddos Ausgaben für den Entspannungskurs hatten sich gelohnt. Mir jedenfalls half seine tiefe Bauchatmung nicht wenig, die Schrecksekunde unbeschadet zu überstehen.

Als ich die Augen öffnete, stand mein Doppelgänger immer noch vor mir, an derselben Stelle und als hätte er sich nicht bewegt. Vielleicht hatte er sich genau wie ich dadurch stabilisiert, dass er einige Kubikdezimeter des hoch konzentrierten O_2-CO_2-Benzol-Gemischs eingeatmet hatte, das in dieser Ecke die sonst im Land übliche Luft ersetzte; andererseits sah er nicht aus wie einer, der jemals mit Entspannungstechniken für Führungskräfte in Berührung gekommen war. Die einzige Entspannungstechnik, die ich ihm zutraute, war das geräuschvolle Aufschnappenlassen von Bügelbuddelbier.

»Wow!«, sagte mein Doppel und starrte mich an, als hätte ihm niemand beigebracht, dass man in so einer Situation »Mr. Livingstone, wie ich vermute?« zu sagen hat. »Das ist ja das Schrägste, was ich je erlebt hab.«

Ich tat einen Schritt zurück. »Was hast du im Tunnel gemacht?«, fragte ich. Ich wollte nichts sagen, was mit seinem oder meinem Aussehen zu tun hatte; vielleicht hoffte ich irgendwo im Unterbewusstsein, dass diese unheimliche Ähnlichkeit ganz von selbst wieder verschwinden würde, wenn ich nur so tat, als gäbe es sie nicht.

Ich konnte doch einfach schief geguckt haben, oder? Wie oft hat man schon jemanden gesehen und gedacht, der sieht doch haargenau so aus wie die Verkäuferin in der Bäckerei am S-Bahnhof oder wie der Talkmaster in dieser Show auf SAT 1; und dann dreht der Mensch seinen Kopf gerade mal um 25 Grad, sodass man ihn statt im Halbprofil jetzt von vorne sieht: Und plötzlich ist von der Ähnlichkeit nichts mehr übrig.

Daddo hat sogar einmal in der Dämmerung bei uns in der Straße eine Frau eingehakt, die vor ihm hergegangen war, und hat mindestens fünf Minuten lang auf sie eingeredet, ob sie den Whirlpool aus dem oberen Badezimmer nicht doch wieder rausreißen lassen sollten, weil der Strudeleffekt nicht annähernd hielt, was der Prospekt versprochen hatte, und dass sie doch zum Schmusen keinen Whirlpool brauchten, Mäuschen; und erst als die Frau sich zu dem Thema partout nicht äußern wollte und wie ein Brett auf ihm lastete, hat er gemerkt, dass ihm nicht Mama im Arm hing, sondern eine fremde Dame, die schon fast ohnmächtig war vor lauter Angst, einem wahnsinnigen Triebverbrecher in die Hände gefallen zu sein.

So kann es gehen und darum legte ich noch mal eine Runde Atmen direkt ins Sonnengeflecht ein und hoffte, dass mein Doppelgänger sich danach vielleicht in jemanden verwandelt hätte, der zwar unbestreitbar meine Haarfarbe und eine ähnliche Figur hatte wie ich, den aber sonst niemand auch nur im Entferntesten mit mir hätte verwechseln können.

Aber er ließ mir keine Pause.

»Geile Jacke hast du an«, sagte der Doppelgänger jetzt mit so einem gierigen Blick, dass ich vorsichtshalber einen Schritt zurücktrat. Außerdem war das weder eine Antwort auf meine Frage noch hatte er sich im Mindesten verändert. Ich schluckte und versuchte es einfach mit einem neuen Gedanken: Vor mir stand mit penetrantem Geruch nach irgendeinem Billig-Eau-de-Cologne oder 24-Stunden-Deo eine prolige Version von mir selber. Wie die meisten Produkte gab es mich eben zweimal: einmal als teures Original und außerdem als billige Kopie.

Die Kopie guckte auf meine Schuhe. »Auch nicht schlecht«, sagte er. »Dreihundert ungefähr, oder? Ich überleg grade, ob wir vielleicht bei der Geburt vertauscht worden sind. Dann gehören deine Klamotten nämlich mir«, und in seinen Augen war jetzt so ein Glitzern, dass ich überlegte, ob es nicht besser gewesen wäre, wenn mich die Hand auf der Schulter geschnappt hätte. Wenn das hier noch eine Weile so weiterging, würde ich in Unterwäsche den Weg zurück durch den Tunnel antreten müssen, aber wenigstens war die *Calvin Klein*.

Offenbar konnte das Double meine Gedanken lesen.

»Keine Panik, keine Panik!«, sagte er beruhigend. »Kannst du alles behalten. Ist das nicht total abgefahren hier? Oder hab ich einen Sprung in der Schüssel?«

Ich schüttelte den Kopf. »Wenn du meinst, ob wir wirklich gleich aussehen«, sagte ich resigniert, »dann spinnst du nicht.«

»Nee«, sagte die Billigversion. »Hätte mich auch gewundert.« Er zog ein Kaugummi in die Länge. »Zigarette hast du keine dabei?«

Leider musste ich all seine Fragen verneinen. »Ich heiße Calvin«, sagte ich. Schließlich hat man gelernt, wie man mit krisenhaften Begegnungen umgehen muss. »Wollen wir uns nicht setzen?«

Und wir gingen zusammen zu der Treppe, von der er vorhin zu meiner Rettung gekommen war, und setzten uns auf die oberste Stufe.

Das Leben ist manchmal schon weit über Durchschnitt
merkwürdig.

KEVIN

Natürlich war ich zuerst total von der Rolle. Das wäre ja wohl jeder, wenn er plötzlich sich selber gegenübersteht, vor allem, wenn das Spiegelbild Klamotten für mindestens zweitausend anhat. So viel hat ja unser Kleiderschrank insgesamt nicht gekostet.

Aber es war schon klar, dass der Zwilling mindestens genauso geschockt war wie ich. Darum setzten wir uns erst mal zusammen auf meine Sightseeing-Treppe und begutachteten das Panorama. Das war in der Zwischenzeit auch nicht aufregender geworden und irgendwie war es ziemlich schwierig, ins Reden zu kommen. Auf so eine Situation ist ja keiner mit Hirn vorbereitet.

Zuerst überlegten wir also, wieso es uns doppelt gab, und ich hatte gleich das Gefühl, dass *Diesel* von dieser Ähnlichkeit nicht halb so begeistert war wie ich. Wahrscheinlich hätte er lieber einen Doppelgänger gehabt, mit dem er sich auf dem Golfplatz sehen lassen konnte.

Eine Erklärung fanden wir nicht. Dass zwei Leute, die in derselben Minute auf demselben Meridian geboren sind, sich schon darum ähneln wie siamesische Zwillinge, überzeugte keinen von uns. Schließlich müsste die Welt dann voll sein von Menschen, die aussehen wie geklont.

»Aber wäre doch blöd das zu vergeuden, oder?«, sagte ich. »Dass wir uns so ähnlich sehen. Wo außerdem keiner davon weiß.«

Diesel verknotete seine Schnürsenkel. Natürlich hieß er Calvin. Das hätte man sich ja denken können.

»Wenn du vielleicht gut in Mathe bist?«, sagte er hoffnungs-voll. »Du könntest gegen Knete meine Arbeiten für mich schreiben.«

»Kannst du knicken«, sagte ich.

Er nickte. »Wahrscheinlich sind wir in denselben Sachen gut und schlecht«, sagte er. »So, wie wir aussehen.«

Das glaubte ich auch. »Aber wir könnten ja kurz mal die Klamotten tauschen«, sagte ich. »Dann bin ich du. Und du bist ich.«

Calvin guckte nachdenklich. »Aber ich krieg sie zurück«, sagte er. Ich hob drei Schwurfinger hoch und zeigte auch die geöffnete andere Hand, damit er wusste, ich versuchte keine Tricks.

»Oder bist du in Eile?«, fragte ich. »Termine oder was oder Mami wartet?«

Calvin kickte mit der Ferse gegen den Asphalt der Böschung. »Die kann warten«, sagte er. »Die war heute so Scheiße drauf ...«

»Meine auch!«, sagte ich verblüfft. »Jetzt wird es komisch. Sag bloß, du hast auch dein Schlüsselbund verloren? Dann glaub ich echt wieder an den Weihnachtsmann.«

Calvin schüttelte den Kopf und man konnte sehen, dass er erleichtert war. »Brauchst du nicht, sei beruhigt«, sagte er. »Nee, sie wollten mir nur keinen neuen Rechner kaufen. To-tal geizig. Dabei haben sie die Kohle.«

Dazu fiel mir nichts ein und darum hielt ich die Klappe. Aber mein Vorschlag war ja deswegen noch lange nicht vom Tisch. »Tauschen wir nun oder nicht?«, fragte ich.

Und logisch war er auch neugierig auf sein anderes Ich. »Aber wozu?«, fragte er.

Ich bin mir ganz sicher, dass wir in diesem Moment schon

die Idee hatten, alle beide. Nur dass wir uns noch nicht trauten sie auszusprechen, keiner von uns.

»Nur so«, sagte ich. »Drüben gibt's ein Männerklo.«

Calvin lachte. »Lass uns«, sagte er.

Dann gingen wir zu seinem Fahrrad, um zusammen durch den Tunnel zurückzufahren.

CALVIN

Dieser Kevin war wahrscheinlich das Ausgebuffteste, was mir bis dahin begegnet war, wirklich. Jedenfalls hatte er ganz eindeutig Erfahrung darin, wie man Aufpasser austrickst.

»'tschuldigung?«, sagte er ganz unschuldig zu einem jungen Mann, der offenbar zu Fuß durch den Tunnel wollte. »Mein Bruder hier und ich möchten gerne mal ausprobieren, wer schneller die Treppe runterkommt. Könnten Sie vielleicht unser Fahrrad im Fahrstuhl mitnehmen?«

Und so kamen wir am Fahrstuhl vorbei und auf der anderen Seite genauso wieder hoch. Alles total easy.

»Machst du so was öfter?«, fragte ich, als wir an den Landungsbrücken das Fahrrad wieder in Empfang genommen hatten. Der Verkehr war um diese Zeit unglaublich und Touristen mit Videokameras überschwemmten die Fußwege.

Kevin schüttelte den Kopf. »Nö«, sagte er. »Höchstens einmal pro Tag. Da ist das Klo.«

Das Hauptproblem bestand darin, dem Klomann hinter seinem Tischchen klarzumachen, dass wir absolut keinen Pfennig bei uns hatten und trotzdem ganz dringend seine Anstalt aufsuchen mussten. Der Kerl war hart wie Stahl. No money, no Klo, das war sein Wahlspruch und da konnten wir noch so kindergartenmäßig von einem Fuß auf den anderen trippeln und von Umweltverschmutzung reden, der Kerl ließ sich nicht erweichen.

»Da vorne ist die Elbe«, sagte er und nahm ungerührt einen Schluck Kaffee aus seiner geblümten Sammeltasse.

Kevin erläuterte gerade, dass das Fischsterben in Deutschlands Flüssen zu einem nicht geringen Teil auf hartherzige Klomenschen wie ihn zurückzuführen wäre, als ein älterer Mann mit verschwitztem Haar, der vergeblich versuchte, seinen Bauch hinter einer Kamera mit diversem Zubehör zu verstecken, uns zu Hilfe kam.

»Da, Jungs«, sagte er freundlich und warf zwei Markstücke in den Teller auf der akkurat gebügelten Tischdecke, »auf Kosten des Hauses.«

Wir brüllten unseren Dank und rasten in den gekachelten Bunker. Vor lauter angehaltenem Lachen hätten wir uns fast wirklich bepisst.

»Was denkt denn der, wenn wir zu zweit in eine Zelle gehen?«, flüsterte ich, als wir es endlich geschafft hatten, die Tür hinter uns zuzuziehen. Es war wirklich verdammt eng.

»Na, was glaubst du wohl?«, sagte Kevin und hatte schon sein Sweatshirt über den Kopf gezogen. Ich kam mir vor wie in einem von diesen Filmen.

»Los, zieh auch aus«, sagte Kevin ungeduldig. »Fliegender Wechsel.«

Ich hängte meine Jacke über die Klorolle und überlegte, ob ich in meinem Leben jemals irgendwas erlebt hatte, das auch nur halb so schräg gewesen war. Das Klo roch so, dass dreißig Pfennig Benutzungsgebühr auch schon reichlich gewesen wären.

»Mach, mach, mach!«, flüsterte Kevin, der offenbar scharf darauf war, schnell an meine Klamotten zu kommen. »Sonst haben wir den Kerl noch auf dem Hals!«

Ich musste lachen. »Glaubst du, der glaubt ...«, flüsterte ich.

Aber in diesem Moment wurde schon gegen die Tür geklopft.

»Die Benutzung zu zweit ist verboten!«, rief der Klomann aufgeregt. »Hallo? Die Benutzung zu zweit ...«
Ich machte mir fast in die Hose.
Aber Kevin war immer noch ganz Herr der Situation. »Ich muß meinem Bruder helfen!«, rief er lauter, als nötig gewesen wäre. Schließlich sollten die anderen Benutzer für ihr überhöhtes Eintrittsgeld auch etwas haben. »Der hat sich gestern die Finger verbrannt! Der kriegt die Knöpfe nicht auf!«
Ich biss mir in die Hand um nicht loszubrüllen.
»Das kenn ich!«, schrie der Herr aller Aborte vor der Tür. »Raus da, aber sofort! Solche Ausreden kenn ich!«
»Komm, Rudolf, ich helf dir«, sagte Kevin ganz lieb und mit einer Stimme, wie man sie sonst für Gespräche mit Hamstern und Zwergkaninchen einsetzt. »So, Rudolf, nun ist der Knopf offen. Nun kannst du schön ...«
»Rudolf???«, flüsterte ich und schaffte es fast nicht, meine Schuhe auszuziehen. »Rudolf???«
»... fein Pipi machen«, sagte Kevin und drückte den Spülknopf. »Siehst du wohl. Schon alles erledigt.«
Ich schnürte seine ALDI-Turnschuhe zu. »Danke, Herbert«, sagte ich. »Du bist so gut zu mir.«
Aber völlig blöde war der Klomann auch nicht.
»Raus da, hab ich gesagt!«, brüllte er und dann drehte sich auch schon der Türgriff. Diese Kloleute haben alle so einen Vierkantschlüssel, damit sie im Notfall ohnmächtige Omis oder kreischende Kleinkinder befreien können. »Raus da, aber ganz fix!« Dann knallte die Tür nach innen auf.
»Aua!«, sagte Kevin empört. »Den Umgang mit Invaliden müssen Sie aber erst noch lernen, Herr!« Und er packte mich am Ellenbogen. »Komm, Rudolf, wir gehen. Das nächste Mal suchen wir uns ein anderes Klo.«

Ich warf dem Wärter ein Kusshändchen zu. »Recht hast du, Herbert«, sagte ich, und dann flitzten wir nach draußen, wo zum Glück noch niemand das Fahrrad geklaut hatte.

»Schade, dass keine Zeit mehr für einen kurzen Blick in den Spiegel war«, sagte Kevin. »Für zwei Mark war das eine poore Performance.«

»Du siehst gut aus«, sagte ich und checkte ihn von oben bis unten ab. »Wie ich.«

»Du siehst besser aus, Bruder«, sagte Kevin und grinste. »Wie ich.«

»Bis auf die Haare«, sagte ich.

Kevin nickte. »Glaubst du, das merkt einer?«, fragte er.

Ich guckte ihn misstrauisch an. »Wieso sollten sie nicht?«, fragte ich. »Wen meinst du?«

Aber natürlich wusste ich genau, wen er meinte. Wir wären ja auch blöde gewesen, wenn wir es nicht gemacht hätten.

KEVIN

Wir hockten mindestens drei Stunden lang auf einer dieser Bänke, die für die Touris überall über dem Wasser aufgestellt sind, und erzählten uns unser Leben und dabei fing mein Magen allmählich an so erbärmlich zu knurren, dass ich kurz davor war, den Möwen das Futter wegzuschnappen, das alte Frauen mit Plastiktüten und juchzende Kinder ständig bröckchenweise in die Luft schleuderten.

Aber ein bisschen Zeit mussten wir uns natürlich schon nehmen und außerdem war ich fest davon überzeugt, dass ich hinterher durch die köstlichsten Speisen und die vorzüglichsten Getränke belohnt werden würde. Für den Twin sah das schon ein wenig anders aus, aber zum Glück machte er sich das nicht klar. Durchblick hatte der nur höchstens zehn Prozent.

Und außerdem machte die Geschichte Spaß. Ich hab früher nie darüber nachgedacht, was jemand über mich und mein Leben wissen muss, wenn er mich für einige Zeit doubeln will. Die Gelegenheit hatte sich ja auch nie ergeben.

Aber jetzt war das plötzlich total zentral. Gehörte zum Beispiel dazu, wie unser Vater hieß oder sogar der von Nisi (woran ich mich zurzeit nicht erinnern konnte) und welches Verhältnis ich zu wem in meiner Klasse hatte? Die Namen der Lehrer waren auf alle Fälle wichtig und welche Fächer sie unterrichteten; und auch über Tatjana sagte ich ein paar Worte. Aber sonst hatte ich die Essentials schnell abgehakt. Es war schon verblüffend, in wie kurzer Zeit sich mein Leben abhandeln ließ.

Bei Calvin sah es schon ein bisschen anders aus, vor allem, weil er versuchte, mir wenigstens theoretisch auch noch den richtigen Aufschlag beim Tennis und die Regeln für Feldhockey beizubringen.

»Mann!«, sagte ich ungeduldig. »Wie lange glaubst du denn, dass wir das machen? Ich glaub nicht, dass ich jemals zum Hockeyspielen komme!«

Calvin zuckte die Achseln. »Wer weiß«, sagte er und guckte auf den Boden. »Ich bin ganz froh, wenn ich meine Alten mal eine Weile nicht sehen muss.«

Ich sagte nicht, dass er dann vermutlich noch um einiges froher sein würde, wenn er *meine* Alte nicht mehr sehen musste. Sollte er doch seine eigenen Erfahrungen machen.

Ich war sicher, dass er mich spätestens morgen früh vor dem Frühstück anrufen würde um zurückzutauschen. Immer vorausgesetzt natürlich, Mama hatte nicht wieder das Telefon im Kleiderschrank eingeschlossen, um Gebühren zu sparen.

Ich brachte Calvin noch zur Bahn. Unsere Straße und Hausnummer und den Weg vom Bahnhof dahin hatte ich ihm eingetrichtert; aber dann war er doch ein bisschen verblüfft, als er begriff, dass er von mir weder mit Geld noch mit einer Fahrkarte ausgestattet werden würde: An Gratisfahrten war er offenbar nicht gewöhnt. Darum musste ich ihm erst mal vorrechnen, was es kostet, wenn eine Familie mit vier Kindern, die in so einer Scheißgegend wie unserer wohnt, wo es keine Kaufhäuser gibt und auch sonst alles tote Hose ist, jedes Mal bezahlen würde. Das sah er ein. Ich hatte fast das Gefühl, als ob er sich mit meinen Klamotten auch ein bisschen von meinem Verstand angezogen hätte.

»Ciao, Alter, mach's gut«, sagte ich, als Calvin am U-Bahnhof Landungsbrücken durch die Sperre ging.

»Selber!«, sagte er und hob die Hand. Sein Gang war immer noch *Diesel* und das passte nicht richtig zum Rest.

Unten schloss ich das Fahrrad auf und spielte ein bisschen mit der Gangschaltung. Ich hieß Calvin Prinz und war auf dem Weg zum Schloss meiner Eltern, um mir ordentlich was zu fressen reinzupfeifen.

Ich hieß Calvin Prinz. Und später würde ich König sein.

CALVIN

So furchtbar lange brauchte ich gar nicht bis zu meiner neuen Adresse. Eine gute halbe Stunde mit der U-Bahn ungefähr, aber die kann lang sein, wenn man die ganze Zeit damit rechnet, dass gleich ein Kontrolleur kommt und die Fahrkarte sehen will.

Als ich ausstieg, holte ich einmal tief Luft, und das war diesmal keine Entspannungstechnik. Diesmal war es der Schock. Kevin hatte mir genau beschrieben, welche Straßen ich entlanggehen und wo ich abbiegen sollte. Aber darauf vorbereitet, wie diese Straßen aussahen, hatte er mich nicht.

Damit kein falscher Eindruck entsteht: Ich bin schon einigermaßen rumgekommen in der Welt. Aber in der eigenen Stadt kennt man eben doch immer nur bestimmte Ecken, das wurde mir jetzt plötzlich klar. Die Ecke, wo man wohnt, natürlich, und die Innenstadt zum Einkaufen und die verschiedenen Hockey- und Tennisplätze, zu denen man manchmal zu Turnieren muss, und dann natürlich noch die Ecken, wo Freunde und Bekannte wohnen.

Aber in einer Gegend wie Kevins hatten wir eben keine Freunde und Bekannten. Und darum hatte ich auch nicht den Hauch einer Ahnung gehabt, dass es solche Straßen bei uns überhaupt gab.

Als wir im Frühjahr nach New York geflogen waren, hatte Daddo mir verboten durch Harlem oder die Bronx zu laufen. Dabei war das neben dem Empire State Building eigentlich das Einzige gewesen, weshalb ich nach New York gewollt hatte. Zu viele Polizeifilme gesehen, klar.

Und jetzt stellte ich fest, dass wir die teuren Flugkosten gut hätten sparen können. Ein Ticket für den öffentlichen Nahverkehr hätte es auch getan.

Vor einem Imbiss neben dem Bahnhof standen Gestalten mit Bierdosen in der Hand, von denen ich im ersten Augenblick glaubte, man hätte sie für einen Film zurechtgemacht; aber dann begriff ich, dass sie echt waren, total echt mit ihren speckigen Haaren und ihren ausgeleierten Klamotten und ihren Dosen in der Hand, und ich griff nach meiner Lederjacke um sie festzuhalten. Aber die reiste natürlich längst elegant und ungefährdet auf meinem 24-Gang-Bike durch die Alleen unseres Stadtteils.

Die Männer interessierten sich nicht für mich, und das nahm ich als Zeichen dafür, dass ich echt aussah. Kevin Bottel konnte hier durchgehen ohne aufzufallen; für Calvin Prinz wäre das schon um einiges schwieriger gewesen.

Je näher ich meiner neuen Wohnung kam, desto deprimierter wurde ich. Wenn es mir nicht so peinlich vor Kevin gewesen wäre und vor allem wohl auch vor mir selber, hätte ich mir ein Taxi genommen und wäre nach Hause gefahren. Wenn es hier Taxis gegeben hätte, Ladys.

Die Häuser waren alt und hoch und eng aneinander gebaut und es gab keine Gärten und keine Bäume und überhaupt kein Grün. Es gab Zigarettenkippen und Zigarettenschachteln und Coladosen und Bierdosen und auf dem Pflaster klebten zu tausenden die schwarzen Einsprengsel alter Kaugummis, ausgespuckt und platt getreten. Neben den Hauseingängen lehnten auch um diese Zeit am Abend noch Kinder mit Zigaretten im Mundwinkel und aus den offenen Fenstern hörte man das Durcheinander der verschiedenen Fernsehsender, die es geschafft hatten, den Zuschlag der Zuschauer zu bekommen. Hier wohnte Kevin Bottel.

Ich klingelte. Kevin hatte mir eine lange Geschichte über ein verlorenes Schlüsselbund erzählt und ich atmete einmal tief durch, um auf das vorbereitet zu sein, was nun auf mich zukam: eine keifende Mutter mindestens. Kevins Uhr an meinem linken Handgelenk zeigte zwanzig vor elf und ich rechnete mit dem Schrecklichsten. Vielleicht schlugen sie in solchen Gegenden ihre Söhne sogar noch mit dem Stock.

Aber ich hätte keine Angst zu haben brauchen. Statt einer wütenden Dame, die ihre Teigrolle schwenkte, kam ein kleines Mädchen die Treppe heruntergelaufen. Es hatte ein riesiges T-Shirt an, das ihm bis in die Kniekehlen reichte; dafür hing der Halsausschnitt über die linke Schulter.

»Du hast mir gar nicht das Buch mitgebracht!«, rief das Kind aufgeregt, als es die Haustür noch nicht einmal völlig geöffnet hatte. »Du hattest gesagt, heute bringst du mir ein neues! Ich hab in deinem Rucksack nachgeguckt!«

»Ja?«, sagte ich ein bisschen verwirrt. Noch nicht mal ganz angekommen und schon gleich die ersten Unklarheiten. Aber zum Glück nur mit einem Kind. Kinder sind ja leicht reinzulegen.

»Du hast das gesagt!«, rief die Kleine, die ja nur Nisi sein konnte, und lief vor mir her die Treppe hoch. Unter dem T-Shirt hatte sie nur eine winzige Unterhose an. Wahrscheinlich sollte das Shirt ihr Nachthemd sein.

Von Büchern war in unserem Vorbereitungsgespräch nie die Rede gewesen und ich beschloss, mich auch nicht lange bei dem Thema aufzuhalten.

»Musst du nicht längst schlafen?«, fragte ich.

Ich versuchte beim Sprechen möglichst wenig Luft zu verbrauchen, um nicht ständig neu einatmen zu müssen. Das Gas, das die Hohlräume dieses Treppenhauses füllte, bestand vermutlich zu 80 % aus verdunsteter Katzenpisse.

Nisi hielt es offenbar nicht für nötig, meine Frage zu beantworten. Im dritten Stock hielt sie an und schloss eine Wohnungstür auf, auf der verschiedene Aufkleber für *Kellogg's Cornflakes* und eine unbekannte Zündkerzenfirma warben. Ich überlegte, ob die Dekoration in dem Verschönerungsbedürfnis irgendeines Familienmitglieds ihren Ursprung hatte oder ob versucht worden war, wenigstens die allerübelsten Kratzer und Flecken damit abzudecken. Das wäre allerdings hoffnungslos gewesen.

Im Wohnungsflur legte Nisi ihr Schlüsselbund auf die Fußmatte. Offenbar hielt sie jetzt die Zeit für gekommen meine Frage zu beantworten.

»Ich *kann* doch nicht schlafen«, sagte sie.

Ich nickte. In dieser Umgebung würde ich wahrscheinlich auch nicht schlafen können. Man hat ja schon vieles gelesen und man hat Filme gesehen, aber ich meine – *wow*. Ich meine, wenn man es dann wirklich sieht, ist es irgendwie so – *wirklich*. Nicht, dass es dreckig gewesen wäre, nachdem wir erst mal aus diesem Kotz- und Würgtreppenhaus raus waren; das eigentlich gar nicht. Aber der Teppichboden auf dem Flur hatte den Wellen nach zu urteilen mindestens den letzten Kaiser noch erlebt und auch damals hatte er schon höchstens fünfzehn Heller pro Quadratmeter gekostet. An den Wänden hingen, in Abständen von nur wenigen Zentimetern, atemberaubende Bilder von Bayernschlössern und springenden Rössern, die sich bei näherem Hinsehen als zusammengeleimte 1000er-Puzzles entpuppten. Ich bin bestimmt für Kunst, so bin ich erzogen, und ich bin bestimmt

für Behaglichkeit, aber – *wow*, zum zweiten Mal. Wirklich
wahr.
»Konntest du nicht mal früher kommen?«, rief jetzt eine
Stimme aus dem Wohnzimmer. Die Stimme klang nicht sehr
mütterlich und bemühte sich, irgendeinen Fernsehdialog zu
übertönen, in dem zwei Synchronsprecher ihren Stimmen ein
verführerisches Timbre zu geben versuchten. »Nisi konnte
wieder nicht schlafen.«
Ich begriff nicht so recht, was ich damit zu tun hatte, und
plötzlich und wie mit einem Keulenschlag wurde mir be-
wusst, dass ich *überhaupt* nicht wusste, was ich hier zu tun
hatte. Ich steckte in einem falschen Leben.
Es gibt ja diesen Spruch, *ich glaub, ich bin im falschen Film*,
und haargenau so fühlte ich mich jetzt: wie ein Zuschauer im
Kino, der plötzlich begreift, dass der Zuschauerraum Teil des
Films geworden ist und er also Mitspieler; nur dass ihm niemand vorher das Drehbuch mit seiner Rolle zu lesen gegeben
hat.
Ich dachte an Entspannung und Zwerchfellatmung und
steckte meinen Kopf durch die Wohnzimmertür.
»Tut mir Leid«, sagte ich.
Auf dem Sofa lag ein Mädchen und blätterte in einer Zeitschrift. Sie gehörte genau zu der Sorte Mädchen, die für mich
nie infrage gekommen wären, weil ihre Haare zu sehr gestylt
und ihre Gesichter zu offensichtlich geschminkt sind, als ob
sie den Blick von allem, was dahinter in der Hirnschale vielleicht verborgen sein könnte, ablenken und auf die Fassade
fixieren wollten. Sie trug wild gemusterte Leggings, obwohl
sie ihre Figur vielleicht lieber in einem weiten Schlabberkleid
hätte verhüllen sollen, und aß Chips aus einer Tüte, und
ohne jeden Zweifel war sie meine Schwester Jacqueline.

»Tut dir Leid!«, sagte sie ohne hochzugucken. »Ich wollte weg heute Abend, Mensch! Aber Nisi war mal wieder in Panik und du warst nicht da …«
Sie guckte hoch und über ihr Gesicht lief so etwas wie Verblüffung.
»Nee, oder?«, sagte sie und stemmte sich auf die Ellenbogen.
»Warst du beim Friseur?«
Ich zuckte die Achseln. Ich hätte mir denken sollen, dass sie den Unterschied bemerken würde. Schließlich hatte Kevin mir erzählt, dass sie Friseuse lernte.
»Gefällt's dir?«, fragte ich vorsichtig.
Jacqueline guckte. »Gut geschnitten, kann man nichts sagen«, sagte sie. »Ich wusste gar nicht, dass du auf so was stehst.«
»Tu ich aber«, sagte ich und plötzlich war ich in den Film eingestiegen. »Ich geh jetzt schlafen.«
Jacqueline ließ sich aufs Sofa zurückplumpsen. »Und woher hattest du die Kohle?«, fragte sie. »Sweet dreams dann«, und damit war ich vielleicht verabschiedet.
Ich guckte mich um. Nisi war hinter einer halb offenen Tür verschwunden und ich musste mich jetzt entscheiden, welche Tür ich zuerst probieren wollte. Es war nur ein Glück, dass wenigstens die Mutter nicht da war, so konnte ich ganz in Ruhe und unbeobachtet sämtliche Klinken drücken.
Hinter der ersten Tür lag die Küche. In den Schrankfronten aus weißem Plastik hätte man sich spiegeln können und alle Oberflächen waren freigeräumt und blank. An der einzigen freien Wand hing ein Werbekalender aus der Apotheke. Ich wäre jede Wette eingegangen, dass Momma unsere Küche alleine nie so ordentlich hingekriegt hätte.
Das Badezimmer war eigentlich nur ein Klo und den Boden

zierten Kacheln aus einem vergangenen Jahrtausend, die durch ihre ungewöhnliche Farbgebung aber wohl trotzdem keinen guten Preis auf Antikmärkten erzielt hätten. Jetzt blieben nur noch zwei Türen.

»Ich kann nicht schlafen!«, sagte Nisi, als ich die erste vorsichtig ein paar Zentimeter weit aufstieß. »Ich denk immer, gleich kommt der Einbrecher!«

»Quatsch!«, sagte ich mit Überzeugung. Ich wusste nicht, ob man als älterer Bruder seiner kleinen Schwester in so einer Situation über den Kopf streicht, aber ich wusste genau, dass kein Einbrecher sich je die Mühe mit diesem Loch machen würde. »Ich bin ja jetzt da.«

»Dann schlaf ich vielleicht doch«, sagte Nisi und rollte sich mit so einem kleinen Grunzen auf die Seite, dass ich zum ersten Mal in meinem Leben dachte, vielleicht könnte es später doch mal ganz nett sein, Kinder zu haben.

»Träum süß, Nisi«, flüsterte ich und zog die Tür hinter mir zu. Ich war Kevin Bottel.

Hinter der letzten Tür wartete also nun mein Bett auf mich. Nur leider warteten zwei.

Der Raum war so klein, dass es mir schwer fiel, ihn Zimmer zu nennen, und bis auf einen schmalen Streifen Fußboden in der Mitte, der mindestens kniehoch mit Kleidungsstücken, CDs und Zeitschriften bedeckt war, wurde er von zwei Betten ausgefüllt, die seit Tagen nicht mehr gemacht und vermutlich seit Monaten nicht mehr bezogen worden waren. Das Fenster war geschlossen und der Geruch tat alles, um mit dem Treppenhaus zu konkurrieren.

Ich trat zwei Schritte zurück. Wenn man sich vorstellt, dass man sein Leben mit einem anderen tauscht, macht man sich vorher ja vielleicht Gedanken über alles Mögliche; nur auf die Gerüche, das garantiere ich, ist man nicht vorbereitet. Gerüche, das begriff ich jetzt, machen aus einem Film schlagartig Wirklichkeit, und ich war schon wieder kurz davor, die U-Bahn zu nehmen.

Warum sollte ich in dieser Wohnung aushalten, an deren Wänden die *BRAVO*-Poster noch am ehesten minimalen ästhetischen Ansprüchen genügten? Warum sollte ich mich in eins dieser Betten legen, eingehüllt in den Geruch eines Menschen, den ich kaum oder gar nicht kannte? Wobei die Frage war, in welches Bett denn überhaupt. Denn das zweite, das war ja klar, gehörte Kevins großem Bruder: Und was der sagen würde, wenn er nachts nach Hause kam und einen Fremden in seinem Bett vorfand – gut, seinen Bruder; aber auch darauf stand er vielleicht ja nicht so.

»Nisi?«, flüsterte ich und stieß die Nachbartür wieder einen Spaltbreit auf. »Nisi, weißt du eigentlich, wann« – Rechner einschalten, Datei *Namen aller Familienmitglieder* anklicken –, »wann Ramón nach Hause kommt?«

»Was?«, murmelte Nisi halb im Schlaf. »Wer?«

»Ramón«, flüsterte ich. »Wann kommt denn der?«

Nisi grunzte wieder. »Den kenn ich nicht«, murmelte sie und wollte sich wegdrehen. »Jetzt will ich schlafen.«

Aber das konnte ich nicht so ohne weiteres zulassen. »Ramón!«, flüsterte ich eindringlich und rüttelte ein bisschen an ihrer Schulter. »Dein großer Bruder, Nisi, Ramón!«

Nisi schubste meine Hand weg. »Warum sprichst du denn so komisch?«, sagte sie. »Das weiß ich nicht, wann Rámon kommt. Ich schlaf jetzt, sag ich doch«, und damit zog sie sich die Bettdecke über den Kopf.

Rámon, o mein Gott. Warum gaben diese Leute ihren Kindern denn ausländische Namen, wenn sie nicht mal wussten,

wie sie ausgesprochen wurden? Rámon und Puzzle an der
Wand und dicke Mädchen in Leggings. Morgen früh würde
ich mich schnellstens absetzen. Dies war hundertpro nicht
meine Welt.

Mangels eindeutiger Kriterien entschied ich mich für das
Bett, das mir am wenigsten unappetitlich vorkam. An der
Wand darüber hingen Poster von Popmenschen und an ei-
nem Stück Paketschnur eine Pistole, die aussah wie echt.

Eine Nacht, Calvin, eine Nacht nur, dachte ich. Später wür-
dest du dich ohrfeigen, wenn du diese Erfahrung hättest sausen lassen. Das hier war besser als jeder Trip in die Bronx.
Das hier war *wirklich*. Wenn nur die Gerüche nicht gewesen
wären.

Ich fand keinen Schlafanzug, aber sowieso hätte ich darauf
vermutlich verzichtet. Sogar meine Socken behielt ich an. Es
war ja nicht nötig, dass zu viel nackte Körperoberfläche mit
Kevins Bett in Berührung kam. Oder mit Rámons.

Ich deckte mich zu. Eine Nacht würde ich doch wohl durch-
stehen können. Ich dachte wirklich, es wäre nur für eine
Nacht.

KEVIN

So ein 24-Gang-Bike hatte ich mir immer gewünscht. 1500,–, schätzte ich ungefähr, aber ich kannte mich in der Preisklasse nicht so aus. Weniger jedenfalls nicht, *Shimano*-Schaltung, Tacho und auf dem Rahmen ein Polizei-Aufkleber: Dieses Fahrrad ist registriert. Als ob das irgendeinen Klauer interessiert hätte.

Der Weg war einfach, am Hafen hoch und eigentlich immer ziemlich geradeaus. Man hätte schon eine Delle im Hirn haben müssen, um sich da zu verfahren.

Zuerst holte ich aus den Gängen heraus, was rauszuholen war, aber dann wurde ich langsamer. Weil ich plötzlich gucken wollte. Weil ich plötzlich begriff: Hier wohnten Leute. Hier wohnten Leute, Mensch!

Es war inzwischen dämmerig geworden und die Straßenlaternen warfen Lichtkreise; aber es war eine Frühsommerdämmerung, in der man erkennen konnte, was hinter den Mauern lag und hinter den Hecken und am Straßenrand. Hier wohnten Leute.

Als wir klein waren, ist Mama am Wochenende manchmal mit uns in den Stadtpark gefahren oder sogar in den Wald, damit jetzt keiner denkt, ich kenn mich nicht aus. Und ich war auch schon ein paar Mal auf Klassenreise weg, da hab ich natürlich auch was gesehen, aber das waren mehr so Dörfer und Natur. Hier in der Gegend war ich noch nie. Gab ja wohl auch keinen Grund herzufahren, oder? Und darum hatte ich eben überhaupt nicht gewusst, dass es solche Gegenden gab, ehrlich und kein Scheiß, und darum haute es mich jetzt fast um.

Wieso ist das schwer zu verstehen? Mein ganzes Leben lang hatte ich in dieser Stadt gelebt, okay, und ich war mit der U-Bahn hin und her gefahren und mit der S-Bahn und ich hatte gedacht, ich kenn die genau.

Natürlich hab ich gewusst, dass es Leute gibt, die ganze Häuser für sich allein haben, das weiß sogar Nisi. Aber so was wie hier ...

Manchmal schaltete Mama freitags abends *Derrick* ein oder den *Kommissar*, so Mutti-Filme eben, und da lagen die Leichen dann auch immer in solchen Häusern rum, die mindestens 27 Zimmer hatten und getäfelte Wände und einen Garten, groß wie der Stadtpark. Aber das war eben Fernsehen. Im Fernsehen gab es ja auch *Alf*.

Ich schaltete erschüttert in einen niedrigeren Gang. So total heiß darauf, Calvins Eltern kennen zu lernen, war ich sowieso nicht.

Nun möchte ich nicht, dass irgendwer glaubt, ich wäre plötzlich weich in der Birne geworden, nur weil am Straßenrand überall diese großen Bäume wuchsen und die Häuser aussahen wie in Südstaatenfilmen. Ich kam nur ganz einfach ins Grübeln.

Ich meine, wieso wohnte dieser Calvin hier und ich wohnte auf einem anderen Planeten? Hatte da oben vor unserer Geburt einer mit Würfeln rumgeschmissen und fies gegrinst und mich dann hämisch Mama und Ramon und Jacqueline zugeteilt? Oder sollte ich nach diesem Schock vielleicht wirklich mal anfangen mich um diese fernöstlichen Religionen zu kümmern, die behaupten, alles, was einem in diesem Leben Mieses passiert, hat man sich durch Sauereien in einem früheren Leben verdient?

Weil, wirklich, Mann! Da musste man in seinem früheren

Leben schon ziemlichen Scheiß gemacht haben, wenn diese Gegend hier im Angebot war und man landete doch nur in unserem zugepissten Treppenaufgang.

Was natürlich, andererseits, bedeutet hätte, dass dieser Calvin in seinem früheren Leben so eine Art Heiliger gewesen sein musste. Und so sah der eigentlich nicht aus.

Ich schaltete wieder einen Gang rauf. Die meisten Hecken waren sowieso so hoch, dass man von den Häusern dahinter nur die Dächer sah. Und nichts vom Fluss, auf den die Damen und Herren von ihrer Terrasse gucken konnten.

Irgendwie hatten diese Leute Glück, dass solche wie ich nicht mal öfter gucken kamen. Auf Klassenausflügen, zum Beispiel. Das hätte man doch gut machen können, als wir diese Französische Revolution durchgenommen hatten. Das war irgendwas bei den Franzosen gewesen, schon lange her, da hatte das Volk die Reichen an die Laternen geknüpft, was nicht bedeutet, dass die Hunde sie anpinkeln sollten, sondern echt mit dem Kopf in der Schlinge, und später hatten sie die Köpfe sogar rollen lassen.

Das hatte ich ziemlich krass gefunden, irgendwie übertrieben. Aber es hatte wohl wirklich viel Scheiß gegeben bei den Reichen und die Armen hatten Hunger und da kann so was vielleicht schon mal vorkommen.

Und logisch war mir das alles furchtbar weit weg vorgekommen. Welche, die Hunger hatten, kannte ich schließlich nicht. Aber wenn ich hier gewohnt hätte, zwischen diesen Filmkulissenhäusern und in diesen Filmkulissengärten, ich glaube, ich wäre schon mal ins Grübeln gekommen. Kann sein, ich hätte Angst vor Laternen gekriegt.

Das Haus lag in einer ruhigen Seitenstraße. Keins von diesen ganz großen, kein Blick über den Fluss, aber trotzdem hätte es immer noch gut als Mordhaus für einen Freitagabendkrimi gepasst. Ich hakte den Schlüssel vom Gürtel. Jetzt würde ich lautlos in Calvins Zimmer schleichen und mich in Calvins Bett legen. Wo sein Zimmer war, hatte er mir ja beschrieben.

Aber da kannte ich mich natürlich noch nicht mit dem Familienleben dieser Prinzen aus. Da wird doch keiner ins Bett gehen, wenn das Herzensengelchen noch nicht zu Hause ist! Da kann doch keiner schlafen, solange das kleine Zuckerbübchen noch nicht in seinem Zimmerchen liegt!

»Cal!«, rief eine hysterische Frauenstimme, als ich gerade dabei war, die Haustür genauso lautlos wieder zu schließen, wie ich sie geöffnet hatte. »Cal, um Himmels willen!«

Die Diele war so geräumig, dass man sie gut für Abschlussbälle an Tanzschulen hätte vermieten können, und die Tür zu einem riesigen Raum mit Sitzgruppen und Kamin stand sperrangelweit offen.

»O Gott, Cal, was hast du uns für eine Angst eingejagt!«
Ganz sanft ließ ich die Türklinke nach oben schnappen, dann blinzelte ich ins Licht.

»Hi«, sagte ich vorsichtig. Ich wollte nicht gleich am Anfang Fehler machen und auf diesen Empfang war ich nullissimo vorbereitet. Bestimmt hätte nicht viel gefehlt und diese schönen Menschen hätten aus Angst um den verlorenen Sohn die Polizei gerufen.

»Wir hätten schon fast die Polizei gerufen!«, sagte die dezent jugendlich geschminkte Dame, die in der Wohnzimmertür stand und mir aufgelauert hatte. »Weißt du, wie spät es ist? Du weißt doch, dass wir uns Sorgen machen!«

Hinter der Dame erschien jetzt auch noch ein Herr und ich guckte auf den Fußboden. Calvin hatte mir nicht erzählt, dass seine Großeltern auch mit im Haus wohnten, und mir grauste bei dem Gedanken, dass gleich auch noch die Eltern auftauchen würden. Vier solchen Menschen fühlte ich mich nicht gewachsen.

»Komm rein, Calvin, du kannst doch jetzt nicht einfach so ins Bett gehen«, sagte der Herr. Irgendwie fand ich es scheißungerecht, dass einer, der so alt war, dass sich sowieso keiner mehr nach ihm umdrehte, solche Klamotten trug, und ich musste mir meine Jeans aus der Grabbelkiste bei *Karstadt* holen oder mit Glück mal eine *Levi's* secondhand vom Flohmarkt. »Ich glaube, wir haben noch einiges zu besprechen.«

»Och, nö, eigentlich bin ich schon müde«, murmelte ich. Wenigstens einen Versuch war es ja wert.

Ich bin bestimmt keiner von diesen Schüchternen, die immer gleich rot werden, wenn sie in der Klasse mal an die Tafel müssen, aber das hier war irgendwie mehr, als ich verkraften konnte.

Ganz plötzlich begriff ich, worauf ich mich eingelassen hatte, und die Einsicht explodierte wie eine Rauchbombe und vernebelte mir mein ganzes Hirn. Ja war ich denn wahnsinnig gewesen? Warum hatte mir der Klamottentausch nicht gereicht? Einmal das Gefühl von *Diesel* auf den Schultern und dann zurück ins Katzenklo? Warum um Himmels willen musste ich mich denn auch noch einmogeln bei diesen Leuten, die aussahen wie aus der Werbung für ein Stärkungsmittel und die mit ihrem Enkel sprachen, als wäre irgendwo ein Mikro eingeschaltet?

Aber ewig hielt der höfliche Umgangston auch hier nicht, das war beruhigend.

»Du kommst jetzt mit zu uns ins Wohnzimmer!«, sagte der Alte und irgendwie fühlte ich mich gleich ein bisschen besser.

Wenn einer mich anschnauzt, kenn ich mich aus. »Momma ist vor Angst fast gestorben!«

Und da begriff ich, dass die beiden Greise keineswegs Oma und Opa waren, sondern Mama und Papa, und mich erfasste ein wundersames Grausen und ich ging wie in Trance hinter ihnen her.

Die beiden setzten sich.

»Calvin!«, sagte die Dame bittend, aber der Herr schnitt ihr das Wort ab.

»Vielleicht erzählst du uns zuerst mal, wo du so lange gewesen bist!«, sagte er streng. »Momma hat den ganzen Nachmittag auf dich gewartet, um dich zum Hockey zu fahren, und dann …«

»Das ist doch jetzt nicht wichtig, Daddo!«, sagte die Dame. »Jetzt, wo er wieder da ist! Cal, ich möchte nur, dass du weißt …«

»Wieso nicht wichtig?«, rief der Herr.

»… wie sehr wir uns um dich gesorgt haben! Ich bin fast wahnsinnig geworden vor Angst.«

»Abhauen ist ein Zeichen von Feigheit, Sohn!«, rief der Herr. »Hab ich dir das nie erklärt? Abhauen heißt immer auch vor den eigenen Problemen wegzulaufen! Sich Schwierigkeiten nicht zu stellen! Mit Ausweichen klärt man keine Probleme!«

Ich starrte auf den hellen Teppich unter meinen Füßen. Offenbar erwartete niemand von mir, dass ich antwortete. Ich hätte auch nicht gewusst, was. Das ganze Gerede kam mir vor wie in der Schule, wo unser Klassenlehrer auch ständig solche Sachen wie *Feigheit* und *Zivilcourage* und *kann es gerecht sein, wenn sie die Sozialhilfe kürzen*, mit uns besprechen will. Was ich ziemlich bescheuert finde von einem, der sein Lebtag noch keine Stütze gekriegt hat. Der hat ja keine Ahnung, wovon er redet, was mischt der sich da ein.

»Was meinst du denn wohl, wo ich heute stünde, wenn ich jedes Mal weggerannt wäre, wenn mir etwas nicht gepasst hat«, rief der Herr. »Glaubst du im Ernst, ich hätte die Firma so aufbauen können? Mit so einer Einstellung? Calvin, guck mir in die Augen!«

»Vielleicht eher nicht«, murmelte ich. Hochgucken wollte ich eigentlich nicht.

»Sieh mich an, hab ich gesagt!«, schrie der Herr. »Bist du jetzt auch noch zu feige mir in die Augen zu sehen?«

Was blieb mir übrig? »Ich hatte nur gedacht«, murmelte ich. Ich hatte keine Ahnung, was ich gedacht hatte, als ich abgehauen war. Schließlich war ich nicht abgehauen. Schließlich war ich nicht ihr heiliger Sohn.

Aber ich hätte gar keine Angst davor haben müssen, dass mir der Gesprächsstoff ausging.

»Ja Cal!«, rief jetzt die Dame erschrocken. »Was hast du denn mit deinen Haaren gemacht!«

Ich zuckte mit den Achseln. Das Thema war mir um einiges lieber als *Feigheit* und *was hast du dir gedacht*. »Keine Ahnung«, murmelte ich.

»Das war mir noch gar nicht aufgefallen!«, sagte die Dame aufgeregt. »Guck doch mal, Daddo! Der Junge hätte ja längst mal zum Friseur gemusst! So kann er doch nicht mehr unter Menschen!« Sie seufzte. »Zum Glück war er wenigstens heute Nachmittag nicht so beim Hockey«, sagte sie erleichtert. »Ich wäre ja im Boden versunken.«

Aber der Herr führte das Thema nicht weiter. »Hör mir gut zu, Calvin«, sagte er, und jetzt sprach er mit so einer Stimme, dass ich mir plötzlich vorstellen konnte, wie er im grauen

Anzug an der Schmalseite eines langen Konferenztisches stand und mit den leitenden Mitarbeitern seiner Firma sprach. Wie in diesen amerikanischen Filmen, die Jacqueline immer guckt. »Hör mir gut zu. Dieses eine Mal seh ich noch darüber weg. Du hast dir in letzter Zeit so eine Haltung angewöhnt, die mich doch nachdenklich stimmt, aber gut! An der Aktienfrage werden wir arbeiten und wegen deiner Mathematikprobleme habe ich mich heute Nachmittag schon um einen neuen Nachhilfelehrer bemüht. Ich, Calvin, ich! Nicht Momma. Das wird jetzt laufen, das setzen wir voraus.« Er sah mich eindringlich an. »Ist das klar, Sohn?«, sagte er. Ich nickte ohne hochzugucken. Meinetwegen konnte ich ihm eine Eins im Zeugnis versprechen. Morgen früh war ich sowieso hier raus und konnte mich wieder benehmen wie ein Mensch. Du lieber Arsch! Das war hier doch alles wie Fernsehen, da konnte sich doch kein Mensch fühlen wie normal. Und ich hatte außerdem gar nicht gewusst, dass ich mich so schäbig fühlen konnte, so klein und armselig und gar nichts wert. Mit jedem Wort, das dieser Mensch sagte, wurde ich mindestens zwei Zentimeter kleiner.

»Gut«, sagte der Firmenchef und jetzt zog sein Ton den grauen Anzug wieder aus. »Wenn das klar ist, ist ja alles in Ordnung. Und wegen dem Rechner ...« Er guckte die Dame an und die lächelte aufmunternd und herzensgut und zeigte dabei mindestens 25 strahlend weiße Zähne, deren Ursprung auch eher in einer Kunststofffabrik gelegen hatte als in ihrem Kiefer.

»Wegen dem Rechner – also Momma und ich sind uns einig geworden, dass es schon Sinn macht, wenn du einen neuen kriegst. Veraltete Technik bringt niemanden weiter. Ich bestell morgen über die Firma.«

Ich schnappte nach Luft. War dieses Haus vielleicht gar keine Filmkulisse, sondern eine Irrenanstalt? Calvin hatte mir erzählt, warum er abgehauen war, und ich hatte nichts dazu gesagt, weil ich seine Klamotten anbehalten und kurz das Leben mit ihm tauschen wollte; aber dass einer, der drei PCs hat, noch unbedingt einen vierten braucht, und zwar vorgestern, hatte ich schon ziemlich krass gefunden.

Nur waren diese Eltern ja noch krasser. Mal ganz im Ernst, die verdienten ihren Sohn.

»Geil, vielen Dank«, murmelte ich. Ich hatte keine Ahnung, was Calvin gemurmelt hätte. Aber wohl jedenfalls nicht dies.

»Du weißt, ich will dieses unmögliche Wort hier nicht hören!«, rief die Dame. »Calvin! Das hab ich dir schon so oft gesagt!«

»Ich geh schlafen«, sagte ich.

Als ich durch die Diele zur Treppe ging, sah ich einen Augenblick auf die Haustür. Ich hätte jederzeit die Fliege machen können. Genau darum konnte ich bleiben.

Im Wohnzimmer hörte ich sie reden. Ich dachte an Mama und Ramon und Jacqueline und hoffte, dass Nisi heute Abend einschlafen konnte.

2. ERZÄHL MIR VOM DOW JONES

CALVIN

Ich wurde wach, weil mir jemand Rauch ins Gesicht blies. Einen Augenblick lang dachte ich, ich wäre vielleicht auf Klassenreise und irgendwer wollte noch schnell vor dem Frühstück im Schlafraum eine durchziehen, ohne dass die Lehrer etwas merkten; aber dann fiel es mir wieder ein.

Ich öffnete die Augen vorsichtig und stützte mich auf meinen Ellenbogen. Zu sagen brauchte ich ja nichts. Morgens ist es normal, wenn man schweigsam ist.

»Und was sollte das nun?«, fragte der Typ, der in Unterhose auf dem zweiten Bett saß und tief den Rauch seiner ersten Morgenzigarette inhalierte. Er hatte ein Tattoo auf dem rechten Oberarm, das sich bewegte, wenn er die Muskeln spielen ließ, und er war genau der Typ, dem ich nicht gern auf der Straße begegnet wäre, auch im Hellen nicht. Mein Bruder Ramon.

»Hä?«, sagte ich vorsichtig.

»Seit wann schläfst du in meiner Kiste?«, fragte Ramon und kratzte sich an der Wade. »Bist du schwul oder was?«

Ich setzte mich mit einem Ruck auf. »Hab ich – sorry!«, sagte ich. »Hab ich gar nicht gemerkt!« Und ich sprang aus seinem Bett, bevor er mich vielleicht noch eigenhändig hinausbeförderte.

»Sorry!«, sagte Ramon mit einer künstlichen hohen Stimme und ich fand, dass er jetzt geradezu gefährlich aussah. »Sorry, Mann! Wie redest du denn mit mir? Warst du so blau gestern oder was?«

Ich zuckte die Achseln. Die Dusche war in der Küche, da wollte ich jetzt hin.

»Passiert nicht wieder!«, sagte ich und zwängte mich an seinen Füßen vorbei aus dem Zimmer. Ich hätte mir gerne einen Bademantel übergezogen, schließlich kannte ich die Leute in dieser Wohnung alle nicht; aber es war auf den ersten Blick zu sehen, dass es Bademäntel hier nicht gab.

In der Küche stand eine kleine Frau mit einer Tasse Kaffee in der einen und einer Zigarette in der anderen Hand.

»Na, wird aber auch Zeit!«, sagte sie und nahm einen letzten tiefen Zug. Dann zerquetschte sie die Zigarette im Aschenbecher. Sie trug Jeans und ein T-Shirt mit Glitzerstickerei und sah aus, als hätte man sie für Mitte dreißig halten können, wenn sie nur mehr geschlafen und dafür weniger geraucht hätte. »Ich geh jetzt, Jacqueline, mach die Dusche frei! Kevin kommt zu spät!« Und sie ging an mir vorbei auf den Flur ohne auch nur einmal nachzufragen, wo ich denn gestern Abend gewesen und wann ich nach Hause gekommen war.

Hinter dem Vorhang wurde das Wasser abgedreht. »Du kannst gleich!«, sagte Jacquelines Stimme und ich hoffte inbrünstig, dass sie sich in dieser Familie in ein Handtuch wickelten, wenn sie aus der Dusche kamen. »Noch zwei Sekunden.«

Ich schenkte mir Kaffee aus der Kaffeemaschine in eine *Borussia Dortmund*-Tasse und trank mich gerade wach, als der Duschvorhang rasselnd zur Seite gezogen wurde.

Sie wickelten sich in dieser Familie nicht in Handtücher, wenn sie aus der Dusche kamen.

KEVIN

Ich werde jetzt nicht bescheuert sein und behaupten, dass wir bei uns zu Hause morgens vor Gemütlichkeit geradezu platzen; aber jedenfalls kommt keine Dame im zartblau weich gespülten Morgenmantel an mein Bett und streicht mir mit ihren alten, langnägeligen Fingern übers Gesicht und flüstert, dass ihr Liebling nun aber gleich aufstehen muss, gleich, gleich, in fünf Minuten.

Ich saß sofort senkrecht. Wenn ich erst in fünf Minuten aufstehen musste, was weckte sie mich denn jetzt schon? Fünf kostbare Minuten Schlaf verloren, und außerdem überlegte ich eine panische Sekunde lang, ob ich vielleicht ohne es zu wissen in einen von diesen französischen Kunstfilmen geraten war, die man beim Zappen manchmal spätabends aus Versehen erwischt und von denen man sich besser so schnell wie möglich wieder verabschiedet, weil sich da alte zerknitterte Tanten in Tüll nach jungen Männern verzehren, und das endet dann meistens mit Mord.

Ich rutschte voller Panik im Bett ein Stück zurück.

»Cal, Liebes!«, sagte die Dame erschrocken. »Hast du schlecht geträumt?« Sie klopfte aufmunternd auf meine Bettdecke. »Dann kannst du ja auch gleich aufstehen. Der Tisch ist gedeckt.«

Ich grunzte und wartete mit weiteren Aktionen, bis sie aus dem Zimmer war. Solange ich nicht ganz sicher sein konnte, dass sie hier wirklich nur die Mutterrolle spielte, kriegte sie von mir nicht mal einen nackten Zeh zu sehen.

Über das Badezimmer will ich lieber gar nichts sagen. Man

kennt so was ja aus amerikanischen Familienserien, nur dass man da niemals glaubt, dass es das auch im Leben gibt. Ich nahm drei verschiedene Duschgels, dann setzte ich mich auf den Boden der Wanne und stöpselte sie zu, dass das Wasser um mich herum stieg. So hielt ich es ganz gut zwanzig Minuten lang aus, aber diese Stärkung brauchte ich auch. Sonst wäre ich wahrscheinlich vor Schreck tot umgefallen, als ich nach unten kam.

Am Esstisch saß die Mutter im Morgenmantel und lächelte. »Du hast dir Zeit gelassen, Cal!«, sagte sie und ihr Ton war wie diese Scherzbonbons, die man zu Silvester kaufen kann: von außen total süß, aber wenn man richtig reinbeißt, ist innen alles Senf. »Ich hab dir dein Brötchen schon gestrichen. Schlussfolgerung?« Und sie schenkte mir Kaffee in eine total langweilige Tasse mit Rankenmuster.

Ich zog den Mundwinkel hoch. Ich hatte wirklich keine Ahnung, welche Schlussfolgerung ich daraus ziehen sollte, dass sie mir schon das Brötchen gestrichen hatte. Das machte Mama nicht mal für Nisi.

»Calvin!«, rief die Mutter. »Schlussfolgerung! Meine Güte, Junge!«

Ich nahm einen Schluck Kaffee. Er schmeckte genauso wie bei uns, dabei hatte er doch sicher das volle Verwöhnaroma. Dann biss ich in mein Brötchen. Wenn dies ein Irrenhaus war, wollte ich mich wenigstens nicht anstecken lassen.

»Conclusion!«, rief die Dame und ihre Finger flatterten aufgeregt in einem Heft herum. »Conclusion! Das kommt dabei heraus, wenn du dich bis abends spät herumtreibst! Englisch haben wir beiden doch bisher immer ohne Nachhilfe geschafft, Calvin! Schlussfolgerung?«

Da begriff ich, dass sie doch nicht völlig durchgeknallt und dass das Heft in ihrer Hand ein Vokabelheft war. So was hatte ich Anfang des Schuljahres auch mal besessen.

»Conclusion«, sagte ich darum brav zwischen zwei Bissen und dann musste ich leider wieder passen, als sie von mir wissen wollte, was »in der Patsche, in der Klemme« hieß.

»In trouble, Calvin, in trouble!«, sagte sie aufgeregt. »Da hast du aber heute Nachmittag einiges nachzuholen!«

Ich schob meinen Stuhl zurück und sah mich nach dem Schulrucksack um. In trouble, genau. Noch kürzer und präziser konnte man meine Situation nicht beschreiben. Zum Glück würde ich ja heute Abend wieder zu Hause sein.

CALVIN

Die meiste Angst hatte ich vor der Schule. Oder vielleicht ist Angst nicht mal das richtige Wort: Ich war nur einfach kribbelig.

Du kannst da jederzeit rauswandern, Cal, sagte ich mir. Du kannst sogar mitten in der Stunde aufstehen und ihnen allen sagen, dass sie dich mal an der bekannten Stelle lecken können. In *deine* Schülerakte kommt das nicht.

Ich *musste* nicht durchhalten, kein Mensch konnte mich zwingen. Ich konnte mich in die U-Bahn setzen und nach Hause fahren, ohne Ticket: Die Schule geschwänzt hätte nur Kevin.

Aber das genau war es eben. Es war ein kleines bisschen so wie beim Sport, wenn man sich freiwillig auf den 4000-Meter-Lauf einlässt und spätestens nach 800 Metern das Gefühl hat, man ist bescheuert gewesen: Jetzt könnte man gemütlich mit den anderen unter der Dusche stehen und stattdessen rennt man schwitzend um den Sportplatz und 3000 Meter liegen noch vor einem. Bei 800 Metern bin ich immer entschlossen aufzugeben und nur das Wissen, dass ich ja jederzeit aufhören kann, bringt mich dazu, noch ein paar Schritte weiterzulaufen. Aber wenn ich dann 1000 Meter durchgehalten habe oder 1500 und vielleicht sogar in einer ganz guten Zeit, dann schlägt meine Stimmung um. Dann will ich es plötzlich auch bis zum Schluss schaffen. Nach dem ersten Viertel setzt der Ehrgeiz ein.

Ich beschloss, dass dieser Tag ein 4000-Meter-Lauf werden sollte. Das Schlimmste hatte ich schließlich schon hinter mir, die Nacht mit Ramon im Löwenkäfig und die lauwarme Dusche, deren verkalkter Duschkopf nach allen Richtungen Wasser absonderte, nur nicht nach unten. Dagegen konnte die Schule eigentlich nur noch ein Spaziergang sein.

Ich fand den Klassenraum leicht. Mein Platz war in der zweiten Reihe ganz rechts und ich hatte noch nicht mal das Gefühl, dass alle mich anstarrten, als ich mich setzte. Ein Mädchen, das umwerfend aussah auf eine Weise, dass man wusste, in fünf Jahren wäre es vorbei, hatte vorne am Pult alle anderen Mädchen um sich versammelt und nahm ihre Bewunderung entgegen wie einen selbstverständlichen Tribut, der ihr zustand, gelassen und unbeeindruckt.

An einem hinteren Tisch spielte eine Tischgruppe Poker und drei andere guckten ihnen über die Schulter. Nach mir sah sich keiner um.

Nach der Frau, die hinter mir in die Klasse kam, übrigens auch nicht. Mit wildem Gegröle wurden weiter Karten gemischt und die Schöne drapierte vorne am Pult ihre Haare demonstrativ ums Gesicht.

»Kann ich mal eben – nun müsst ihr aber wirklich!«, sagte die Frau mit einer Mischung aus Ärger und Hilflosigkeit in der Stimme und versuchte wenigstens einen kleinen Platz auf dem Pult zu erobern, auf den sie ihre Unterlagen legen konnte.

Ohne sie zu beachten lösten die Mädchen sich gelangweilt vom Pult und gingen wie in Zeitlupe zu ihren Plätzen. Ich überlegte, welche von ihnen wohl Tatjana war: klein, ein bisschen dick und nicht so, dass sie einen direkt zum Schwärmen verführte.

»... wollen wir heute mit der Flächenberechnung weitermachen«, sagte die Lehrerin. Es war ein Glück, dass ich so weit vorne saß. So konnte ich bei dem Krach wenigstens ein bisschen verstehen.

Sie schlug die Tafel auf und begann zu schreiben. Ein paar Jungs hatten sich inzwischen von der Pokergruppe gelöst, aber das Spiel ging ungebremst weiter. Nur die Lautstärke war jetzt zehn Phon niedriger.

»Kevin?«, sagte die Mathelehrerin und hörte plötzlich auf zu schreiben, als wäre ihr etwas eingefallen. »Von dir bekomme ich ja noch die Strafarbeit.«

»Strafarbeit?«, sagte ich. Darauf hätte Kevin mich wenigstens vorbereiten können.

Die Frau seufzte. »Wieder nicht gemacht«, sagte sie und schrieb etwas in ein kleines Buch, das neben ihrer Tasche auf dem Pult lag. »Ich glaube, ihr macht euch alle gar nicht klar ... Aber dann kannst du wenigstens die Aufgabe für uns lösen«, und sie hielt mir aufmunternd ein Stück Kreide hin.

Ich starrte sie an. Es war ja klar, was ich sollte: Ich sollte vorne an der Tafel ihre Aufgabe lösen, während der Rest der Klasse seinen vielfältigen Beschäftigungen nachging. Es war ein Fehler gewesen, so friedlich auf meinem Stuhl zu sitzen. Diese Mathelehrerin war eine von denen, die zu feige sind sich mit den Schülern auseinander zu setzen, die stören, und sich stattdessen immer ihre Opfer unter den Braven suchen. Und heute war ich offenbar so ein Braver.

Einen Augenblick lang überlegte ich, ob ich »nö« sagen sollte. So günstig würde die Gelegenheit nie wieder sein. Den Ärger würde schließlich Kevin bekommen, nicht ich. Wenn diese Frau überhaupt noch die Kraft aufbrachte irgendwem Ärger zu machen.

Aber dann schlenderte ich doch zur Tafel. Schließlich hatte ich beschlossen, nicht schon nach 800 Metern aufzugeben, und außerdem war es auch gar nicht so uncool. Flächenberechnung, du lieber Himmel! Ein läppisches Trapez, das hatte ich schon vor hundert Jahren gekonnt. Ich nahm die Kreide und schrieb. Dann ging ich zu meinem Platz zurück ohne abzuwarten, ob das Ergebnis richtig war. Ich wusste, dass es richtig war.

»Schön, Kevin, ganz prima!«, sagte die Mathefrau und jetzt zeigte sich, dass sie tatsächlich lächeln konnte. Das freute mich für sie. »Wer macht die nächste?«

Groß war der Andrang nicht und ich fragte mich, wieso sie so naiv gewesen war nach Freiwilligen zu fahnden. Ein Blick in diese Klasse genügte um zu sehen, dass sich hier alle eher würden steinigen lassen als irgendein Interesse am Unterricht zu zeigen, ohne mit Daumenschrauben dazu gezwungen zu sein.

»Kann ich machen«, sagte eine Stimme, und bevor ich vor Verblüffung vom Stuhl fallen konnte, kam ein Mädchen von hinten durch die Klasse zur Tafel, das ich vorhin nicht bei den anderen auf dem Pult gesehen hatte: klein, ein bisschen dick und nicht so, dass sie einen direkt zum Schwärmen verführte. Als sie an meinem Tisch vorbeikam, warf sie mir einen Blick zu, den ich nicht verstand.

Langsamer als ich rechnete sie nicht und außerdem sahen ihre Zahlen besser aus. Auf dem Rückweg zu ihrem Tisch hielt sie für eine Sekunde meine Augen mit ihrem Blick fest und die Freudenjuchzer der Mathelehrerin waren ihr offenbar egal.

»Ganz toll, du, Tatjana!«, rief die Mathelehrerin und zückte ihren kleinen grünen Kalender. »Und Kevin auch! Ganz toll!«

Beim Poker ging es jetzt ums Überleben und das Gemurmel

wurde zum Gegröle. »Will einer von euch vielleicht auch mal probieren? Wir schreiben doch Montag die Arbeit!«
Aber ihr freundliches Angebot blieb ohne jede Resonanz, und da zeigte sich, dass ich die Frau richtig eingeschätzt hatte.
»Kevin?«, sagte sie bittend. »Willst du vielleicht noch mal?«
Ein bisschen dreist fand ich sie schon, aber es juckte mich auch in den Fingern. Ein lächerliches gleichseitiges Dreieck, und zu Hause schlug ich mich mit Hyperbeln herum. Das Gefühl, der totale Matheprofi zu sein, war zur Abwechslung mal gar nicht so schlecht.
Nur dass ich eben nicht konkurrenzlos war. Schon auf dem Weg zu meinem Platz kam mir wieder die kleine Dicke entgegen und starrte mich unbewegt an.
»Für mich auch noch eine«, sagte sie, und da begriff ich, dass dies hier ein Duell war, auch wenn ich keine Ahnung hatte, warum. Es hatte nichts mit guten Noten zu tun, es hatte nichts mit der Mathelehrerin zu tun und es hatte noch nicht mal etwas mit Mathe zu tun. Dies hier war ein Ding zwischen Tatjana und mir.
»Die nächste!«, sagte Tatjana, als sie zum dritten Mal an die Tafel kam ohne gerufen worden zu sein. In der Klasse war es allmählich ruhig geworden. Sogar vom Pokertisch sahen sie jetzt nach vorne.
»Ja, Tatjana, ich weiß nicht ...«, sagte die Mathelehrerin verwirrt. Der glückliche Gesichtsausdruck, der sie bei unseren beiden ersten Tafelbesuchen ungefähr 75 Jahre jünger gemacht hatte, war einer leichten Panik gewichen. »Ich hab ja gesehen, dass du das kannst. Vielleicht sollte jetzt doch mal jemand anders ...«
»Die nächste!«, sagte Tatjana drohend und drückte ihr die Kreide in die Hand.

»Yeah!«, brüllte jemand von hinten aus der Klasse. »Cool!«
Da gab die Mathelehrerin nach und ohne zu zögern berech-
nete Tatjana ein rechtwinkliges Dreieck. Auf dem Rückweg
legte sie mir mit einem Knall das Stück Kreide auf den Tisch.
Dafür sah sie mich diesmal nicht an.

Aber jetzt hatte die Mathelehrerin genug. »Nein, wirklich,
Kevin, so schön das ist«, sagte sie und versuchte ihre Stimme
fest klingen zu lassen. »Aber jetzt müssen wir wirklich wieder... Jetzt sollten wir wohl doch...« Und sie guckte in ihren
Ordner.

»Wir kommen zur Berechnung unregelmäßiger Flächen«,
sagte sie. »Da passt ihr besser alle gut auf. Da wird es schwierig«, und sie drehte sich zur Tafel und begann zu schreiben.
Einen Augenblick warteten die anderen noch, ob ich nicht
vielleicht doch noch nach vorne gehen würde; dann begriffen
sie, dass die Show vorbei war.

An der Tafel erklärte die Mathelehrerin mit hoffnungsloser
Stimme die Tücken unregelmäßiger Flächen, während die
Schöne von vorhin ihren Spiegel herauszog. Am Pokertisch
knallten die Karten auf das Holz und ich beschloss, dass ich
auch nicht zuhören musste. Für heute hatte ich genug für
Bottels Mathezensur getan.

KEVIN

Natürlich war mir klar gewesen, dass es mit der Schule nichts werden konnte. Gymnasium, Mann! Und das, wo ich noch nicht mal bei uns zu den Top Ten gehöre.

Ich fand meinen Platz leicht und ließ mich neben einem gut frisierten Typ in *Levi's* und *Joop!* auf den Stuhl sinken. Auf dem Weg hatte ich mir überlegt, dass ich mich ganz zurückhalten wollte. Wer gar nichts sagt, kann auch nichts Falsches sagen.

Ich streckte die Beine aus.

»Irgendwas los, Kalle?«, sagte mein Nachbar ohne von dem Heft aufzusehen, aus dem er gerade etwas in ein anderes Heft abschrieb. Wahrscheinlich war er gestern Nachmittag nicht dazu gekommen, Hausaufgaben zu machen.

Wenn einer mich ansprach, musste ich antworten, aber wenn ich zu viel antwortete, konnte ich ganz schnell alt aussehen.

»Nee, was denn«, sagte ich unfreundlich. Meine Stimme klang belegt. Ich führte mich auf, als ob das hier eine Prüfung wäre.

»Ach so!«, sagte der Nachbar und nun guckte er doch hoch. »Wir hatten uns schon gewundert, dass du gestern nicht beim Hockey warst. Bist du erkältet oder was?«

Ich atmete aus. Es ist wirklich Wahnsinn, dass einem andere manchmal die besten Ausreden schenken, wenn einem selber keine einfallen.

»Stimmbandkatarr!«, krächzte ich. Da konnte wohl keiner erwarten, dass ich hier heute Morgen ganze Opern sang. Ich lehnte mich zurück und lächelte. Ich war gerettet.

»Und dann kommst du zur Schule?«, flüsterte der Nachbar.
»Bist du blöde?«

Der Grund für sein Flüstern war ein Herr, der durch die Tür zügig zum Pult geschritten war und nicht anders aussah als die Lehrer bei uns auch. Irgendwie sah das hier alles nicht so sehr viel anders aus. Obwohl man ganz genau fühlen konnte, dass es anders *war*.

»Wir haben uns jetzt einige Zeit mit dem Wesen der Hyperbel beschäftigt«, sagte der Mathelehrer und schlug das Klassenbuch auf. Es beruhigte mich, dass hier an einigen Tischen die Gespräche genauso weitergingen wie in meiner Klasse. Nur vielleicht ungefähr zweihundert Dezibel leiser. »Und zu meinem großen Kummer komme ich nicht von der Vermutung los, dass in diesem Klassenraum einige Herrschaften sitzen, denen sich dieses Wesen in seiner ganzen Schönheit und Klarheit nach wie vor nicht erschlossen hat«, und nun war er offenbar fertig mit seiner Eintragung und sah in die Klasse.

Mir zog sich der Magen zusammen. Natürlich hatte ich mit ihren Hyperbeln hier nicht das Geringste zu tun – aber wusste das auch der Lehrer? Während seine Augen die Klasse absuchten, schlug er sich rhythmisch mit dem Tafellineal gegen die Hosennaht, und auch wenn ich wusste, dass das Schlagen in Schulen verboten ist, hatte diese Bewegung etwas von angedrohter Prügelstrafe.

»Zum Beispiel …«, sagte er, und wohin sein Blick traf, senkten sich die Augen auf die Tischplatte, als könnten ihre Besitzer sich dadurch unsichtbar machen, »zum Beispiel – Calvin Prinz.« Und jetzt kam er einen Schritt auf meinen Tisch zu und sah mich gefährlich an.

Oh, Scheiße, dachte ich. Natürlich ist es egal, schon alles

okay, aber trotzdem reißt man sich ja nicht gerade darum, ausgelacht zu werden. Ich hatte nicht die geringste Vorstellung, was eine Hyperbel sein könnte, und ich hatte auch bestimmt nicht die Absicht, mich auf diesem Gebiet fortzubilden. Aber den Mathemann interessierte das nicht. Er winkte mich mit zwei Fingern nach vorne wie diese berühmten Butterhexen; und als ob er wirklich magische Kräfte hätte, stand ich auf und ging zur Tafel.

Nicht, dass ich die geringste Ahnung hatte, was ich da tun sollte, und außerdem war mir klar, dass es unmöglich sein würde zu bluffen. Wenn man nicht den Hauch einer Ahnung hat, was so eine verdammte Hyperbel ist, können einen nicht mal zugeflüsterte Vorsager aus der Klasse retten. Ich spielte auf Zeit und klappte erst mal die Tafel auf.

Hatte ich gesagt, dass es hier irgendwie gar nicht so anders war als bei uns? Yeah, Ladys and G, und jetzt bestätigte es sich. Man hätte glauben können, Bruno hätte die Schule gewechselt, so sah das Innere der Tafel aus. Damen und Teile von Damen; und natürlich die interessanteren.

»Geil!«, grölte irgendwer in der Klasse und eine Mädchenstimme rief: »Ich finde das eine Sauerei!«

Der Mathelehrer guckte, aber er gehörte nicht zu denen, die ein Hauch von Erotik aus dem Gleichgewicht wirft.

»Fast hätten wir da schon ein paar schöne Hyperbeln«, sagte er mit Kennerblick. »Tatsächlich. Auch wenn es kaum so gemeint sein dürfte«, und er reichte mir den Tafelschwamm, und der war tatsächlich feucht und so gab es eben doch einen Unterschied zwischen dieser und meiner eigenen Klasse.

»Fast ist es schade darum«, sagte der Mathelehrer und warf einen letzten Blick auf die kurvigen Formen. »Aber wir brauchen den Platz. Und während du wischst, Calvin Prinz, kannst du uns vielleicht schon gleich einmal ein bisschen über die Hyperbel berichten.«

Ich hätte natürlich sagen können, dass ich gar nichts gegen Hyperbeln hatte, wenn sie tatsächlich etwas mit diesen Zeichnungen zu tun hatten; aber da meldete sich in der Klasse eine Frau, die auf meiner Tantenbewertungsskala von 1 bis 10 ungefähr ein Rating von 8,7 gekriegt hätte.

»Ich finde das ziemlich unmöglich!«, sagte sie. »Dass die Jungs hier solche Sachen malen und Sie sagen dann auch noch – Sie machen nicht mal …«

»Frauenfeindlich?«, brüllte ein Kurzer, Pickliger von ganz hinten und jetzt lachte der männliche Teil der Klasse und sogar ein paar Mädchen lachten mit.

»Beim nächsten Mal kann Hubert ja Kerle malen, das willst du doch, Gunni, oder?«, rief einer im blauen Pullover und ich überlegte, ob jetzt nicht der Zeitpunkt gekommen war, um mich an meinen Platz zurückzuschleichen.

»Beides!«, rief der Picklige unter allseitigen Beifallsbekundungen. »Weiber und Kerle zusammen!« Die Stimmung wurde immer ausgelassener.

»Ja, das war lustig«, sagte der Mathelehrer eisig und ohne seine Stimme auch nur ein bisschen zu erheben. Trotzdem wurde es auf einen Schlag still. »Für alle, die in der sechsten Klasse zu schüchtern waren, um in Sexualkunde die Bilder im Bio-Buch anzugucken, war das hier eine fröhliche kleine Einlage. Und nun wollen wir uns wieder den wichtigen Dingen des Lebens zuwenden«, und er drehte sich einmal kurz zu mir um und es war klar, dass ich jetzt erklären sollte.

Ich nahm die Kreide in die Hand und räusperte mich. Und das wurde schließlich meine Rettung. Aber noch nicht gleich. »Na, Calvin Prinz?«, sagte der Mathelehrer. »Für 5000

Mark Klamotten und für dreißig Pfennig Hirn? Oder kommt vielleicht doch noch was?«

Da schnipste mein Nachbar mit den Fingern. »Calvin kann heute nicht reden!«, sagte er. »Calvin hat einen Stimmbandkatarr!«

Der Mathelehrer sah mich prüfend an. »Ist das die Wahrheit, Calvin Prinz?«, fragte er.

Ich nickte heftig.

Der Mathelehrer sah unzufrieden aus. »Dann bist du ja heute noch mal davongekommen«, sagte er und winkte mich zu meinem Platz. »Aber Stimmbänder heilen wieder. Freu dich auf das nächste Mal.«

Und während er den nächsten Unglücklichen zur Tafel zitierte, setzte ich mich und nickte meinem Nachbarn zu. Calvin hätte mir ruhig seinen Namen verraten dürfen.

Zum ersten Mal empfand ich so etwas wie Zuneigung für unsere schüchterne Mathemaus. Dass diesen gemeinen Kerl noch niemand ins Jenseits befördert hatte, war ja geradezu ein Wunder.

Hinten in der Klasse meldete sich die 8,7er-Frau. »Menschenrechte gelten auch für Schüler!«, sagte sie. »Jemanden einfach zu beleidigen, nur weil seine Eltern Geld haben.«

»Ach Gott, Gun d'Arc«, sagte der Mathelehrer. »Aus dem Alter wächst du auch noch raus. Genieß mal lieber die Hyperbel.«

Ich drehte mich vorsichtig um und entschied, dass mein Rating falsch gewesen war.

9,2.

CALVIN

Am schwierigsten waren die Pausen. In den Stunden konnte man zuhören oder es lassen; man konnte antworten, wenn man aufgerufen wurde, oder mit den Achseln zucken: Ich glaubte nicht, dass irgendetwas größeres Misstrauen ausgelöst hätte.

Aber wenn die Lehrer aus der Klasse waren, wurde es anders. »Wieso machst du nicht mit, Kevin?«, schrie hinten einer vom Pokertisch. »Keine Kohle mehr oder was?«

Ich schüttelte den Kopf. »Keine Lust«, sagte ich unfreundlich. Ich hatte mein Lebtag noch nicht Poker gespielt und ich würde jetzt bestimmt nicht damit anfangen. Und außerdem musste ich ständig an Tatjana denken, klein, ein bisschen dick und nicht so, dass sie irgendwen direkt zum Schwärmen verführen würde: Aber Mathe konnte sie ganz ohne Frage und tough war sie auch und sie spielte ein Spiel mit mir, das ich nicht verstand. Oder besser: Sie spielte mit Kevin. Aber das war es ja gerade und ich hatte keine Ahnung, warum ich deswegen sauer sein sollte.

»Seit wann bist du so heiß auf Mathe?«, fragte einer, der im Pokerspiel offenbar auch nicht seinen Lebenssinn entdecken konnte. »Die Alte hätte ja fast den Löffel abgegeben.«

Ich zog die Schultern hoch. »War easy«, sagte ich. Dann beugte ich mich über meinen Rucksack. Ich fand es besser, wenn das Gespräch jetzt zu Ende war. Ich hatte keine Ahnung, worüber sie sich hier in den Pausen sonst noch unterhielten.

Im Rucksack lagen Zettel und Bücher so wirr durcheinander,

dass ich mich fragte, ob Kevins Mutter nie die Tasche kontrollierte. Fast hätte es mich in den Fingern gejuckt, die zerknitterten Arbeitsblätter abzuheften, aber mir war schon klar, dass das aufgefallen wäre. Stattdessen nahm ich ein Buch heraus, das ganz unten unter den Rest gewühlt war, und sah auf den Titel: *Kenny rettet den Reiterhof*, o Gott. Dass dieser Kevin und ich nicht überall die gleichen Interessen hatten, war mir schon klar gewesen; aber dass er solche Bücher las, haute mich doch um. Irgendwie hatte er einen ganz gesunden Eindruck gemacht. *»Elegant setzte Wirbelsturm über den Graben«*, nein, heute bitte nicht, aber alles kann immer noch schlimmer kommen, *»und einen Augenblick lang fühlte sich Kenny, als ob sie flog«.*
Ich fühlte mich, als ob mir einer eins mit dem Schneeschieber übers Hirn gegeben hätte. Du bist enttarnt, Kevin Bottel. Im innersten Herzen bist du ein hoffnungsloser Romantiker.
»Sag nicht, du liest den Scheiß!«, sagte der Poker-Verächter und starrte fasziniert auf das Buch. »Nee, echt jetzt, Kevi, sag nicht ...«
Da ging die Klassentür auf.
»Oh, Kevin!«, sagte der T-Shirt-Typ, der mit einem so vergnügten Gesicht in die Klasse kam, als gäbe es hier etwas gratis. »Natürlich, deine Bücher! Lass uns das nachher nicht vergessen! Und wie hat dir dies gefallen?«
Ich starrte ihn an. Tatsächlich, Kevin Bottel war dafür bekannt, dass er Bücher las. Pferdebücher.
»Och, ganz geil«, sagte ich vorsichtig. »Nicht schlecht, irgendwie.«
Am Pokertisch fingen sie an zu grölen. Vielleicht kriegten sie nicht unbedingt immer mit, dass ein Lehrer in der Klasse war, aber dies hier verpassten sie nicht. »Ahahaha! Kevins Mär-

chenstunde! Was ist denn mit dem Weihnachtsmann, Kevi?«
Der Rest grölte mit.

Nur eine Stimme sagte etwas dazwischen, so leise, dass es
erstaunlich war, wie deutlich man es über dem Gegröle hören
konnte.

»Ihr habt doch alle nur Scheiße im Kopf«, sagte Tatjana.
Ich merkte, wie ich rot wurde. Das war mir seit dem Kindergarten nicht mehr passiert.

Der T-Shirt-Typ seufzte und ging zum Pult. »Guten Morgen
erst mal, meine Damen und Herren«, sagte er, und man hätte
es nicht glauben sollen: Es wurde wirklich ein kleines bisschen leiser.

Ich stützte meinen Kopf in die Hände und guckte zu, wie er
harmlose kleine Regeln zur Groß- und Kleinschreibung an
die Tafel schrieb; und weil ich das wirklich alles wusste und
weil mein Kopf sowieso durch die Geschichte mit der Mathestunde und dem Buch in ganz sonderbarer Verfassung
war, meldete ich mich sogar. Wahrscheinlich würde Kevin
mich verfluchen, wenn er morgen wieder in die Klasse kam.
»Da seht ihr, was ich euch immer predige«, sagte der T-Shirt-
Typ und nahm im Vorbeigehen einem Riesen mit verschwitztem Gesicht sein Käsebrötchen aus der Hand. »Lesen führt
automatisch zu einer besseren Rechtschreibung. Und dabei
hat Kevin noch nicht mal so sehr viel gelesen.« Und er legte
das Brötchen wortlos aufs Pult.

»Ich les *Sport-BILD*!«, sagte ein Pokerfreund. »Ich les doch
keine Bücher!«

»*Sport-BILD* ist auch gut«, sagte der T-Shirt-Typ. »Aber du
siehst ja, wie Kevin ...«

»Ich les nur was mit nackte Weiber!«, schrie einer dazwischen, der bestimmt der Kleinste in der Klasse war. Jede Wet-

te kam er im Zirkus immer *für Kinder-unter-sechs-gratis* rein.

»Mit nackten Weibern«, sagte der Lehrer freundlich. »Du kannst mal an die Tafel kommen, Carlos.«

Es wurde eine nette kleine Stunde. Tatjana rührte und regte sich nicht, obwohl ich sie dadurch zu provozieren versuchte, dass ich mich bei jeder Frage meldete. Vielleicht wusste sie in Deutsch nicht so viel wie in Mathe. Oder vielleicht kannte sie den Deutsch-Typen zu gut um zu wissen, dass man mit ihm nicht die gleichen Spiele spielen konnte wie mit der Mathefrau.

Oder natürlich – aber das wollte ich lieber gar nicht erst glauben –, Tatjanas Vorstellung vorhin hatte überhaupt nichts mit mir zu tun gehabt. Ich vergaß alle Rechtschreib-regeln und überlegte, welche Zeichen es dafür gegeben hat-te, dass es Tatjana in der Mathestunde um mich gegangen war. Vielleicht hatte sie sich auch nur gelangweilt und wollte auf diese eher ungewöhnliche Weise etwas dagegen unter-nehmen oder sie wollte der Mathefrau eine reinsemmeln oder sie wollte bei irgendeinem Kerl in der Klasse Eindruck schinden.

Ich streckte meine Beine aus. Warum war ich nicht vorher auf den Gedanken gekommen? Tatjana, klein, ein bisschen dick und nicht so, dass sie irgendwen direkt zum Schwärmen verführen würde, hatte auf diese ungewöhnliche Weise ver-sucht sich bei irgendwem bemerkbar zu machen. Mir konnte das schließlich egal sein.

»Kevin?«, sagte der Lehrer.

Ich rollte mit den Augen. Jetzt war der Zeitpunkt gekommen dafür zu sorgen, dass mein Doppelgänger sich in dieser Klas-se morgen noch sehen lassen konnte.

»Keine Ahnung«, sagte ich und guckte dem T-Shirt-Mann tief in die Augen. »Auch kein Interesse.«
Der T-Shirt-Mann seufzte ein bisschen. »Ich glaube überhaupt nicht, dass du das nötig hast, Kevin«, sagte er freundlich. »Aber das kriegst du schon noch raus.«
Ich grunzte.
Am Ende der Stunde legte er mir ein Buch auf den Tisch, das *Immer diese Haflinger!* hieß. »Man kann auch zu dem stehen, was man tut, Kevin«, sagte er.
Ich sah nicht auf. »Leck mich doch«, sagte ich.
Aber erst, als er schon aus der Klasse war.

KEVIN

Die Idee mit dem Stimmbandkatarr rettete mir wirklich das Leben. Immer, wenn irgendein Lehrer so dreist war mich aufzurufen, ohne dass ich mich gemeldet hatte, informierte mein Nachbar ihn über meine Symptome. Dann gab es aufmunternde Worte vom Lehrpersonal und ich konnte mich zurücklehnen und das Geschehen beobachten, ohne irgendetwas sagen zu müssen.

Und ich beobachtete wirklich. Ich glaube nicht, dass ich seit der ersten Klasse in der Schule jemals so viel zugehört habe. Aber irgendwie gab es nichts anderes zu tun und außerdem dachte ich auch, dass ich mir dies hier fürs Leben merken sollte. Wann würde ich schon mal wieder ein Gymnasium von innen sehen? Ich konnte heute unschätzbare Informationen sammeln. Wenn Nisi sich weiter so merkwürdig entwickelte, war ja überhaupt nicht auszuschließen, dass ihre Lehrerin vorschlagen würde sie aufs Gymnasium zu schicken. Dann würde sich doch wenigstens einer in unserer Familie auskennen.

»Lohnt überhaupt nicht sich aufzuregen, Nisi«, würde ich sagen. »Ist eigentlich total das Gleiche. In Englisch war ich sogar ganz gut«, und dann konnte ich ihr die Geschichte von der Englischstunde erzählen, in der ich mindestens 400 Schleimpunkte für Calvin gesammelt hatte.

Gleich am Anfang der Stunde hatte mein Nachbar nämlich wieder ein Bulletin über meinen Gesundheitszustand herausgegeben, und die Lehrerin hatte »Oh, sorry, Calvin« gesagt und noch irgendwas, das vermutlich auch Englisch gewesen war. Ich hatte genickt und gelächelt und mich zurückgelehnt und darauf gefreut, als Zuschauer eine weitere Stunde an mir vorüberziehen zu lassen.

Aber mein Vorsatz scheiterte schon in den ersten fünf Minuten.

Schule ist für mich immer so ein Ding gewesen, da muss man hin, aber da reißt man sich kein Bein aus. Ich hab nie zu viel geschwänzt, ich will schließlich meinen Abschluss, und ich hab auch ab und zu meine Hausaufgaben gemacht. Aber das war's dann auch schon. Dass ich da nun sitze und aufgeregt warte, wie es weitergeht, als ob ich gerade einen Horrorfilm gucke, kann keiner erwarten. Und melden tu ich mich überhaupt nur so viel wie unbedingt nötig. Im Unterricht pendelt mein Spannungsbarometer immer so zwischen minus 0,5 und plus 0,2 und ich hätte mein altes Nintendo verwettet, dass sich das auch niemals ändern würde.

Das Nintendo wäre ich los gewesen.

Gleich nachdem sie ins Klassenbuch geguckt und mir ihr Beileid ausgesprochen hatte, schlug die Englischfrau die Vokabeln auf.

»Regenmantel«, sagte sie, und in dem Moment gab es in meinem Gehirn einen Klick und ich fühlte mich, wie sich vermutlich diese kleinen Autos mit Rückzugsmotor fühlen, mit denen ich vor tausend Jahren gerne gespielt habe. Man zieht sie rückwärts über eine glatte Oberfläche, damit sich irgendetwas in ihrem Innern spannt, und von dem Augenblick an vibrieren sie nur noch der Sekunde entgegen, in der man sie loslässt: Dann zischen sie mit einem wilden Tempo nach vorne ohne jede Rücksicht auf irgendwas, das ihnen im Weg liegt.

Durch die erste Frage hatte die Englischlehrerin meinen

Rückzugsmotor gespannt, und auch wenn ich mir sagte, dass ich wohl einen Schaden haben musste, wartete ich darauf, dass sie endlich wissen wollte, was Schlussfolgerung hieß.

Sie ließ sich Zeit, wirklich, und von der Anspannung wäre das Gummiband in meinem Innern fast gerissen; aber als sie dann mit *Schluss…* anfing, war mein Arm auch sofort oben, lange bevor sie …*folgerung* sagen oder irgendwer sonst sich melden konnte.

»Calvin«, sagte sie, und zum Glück fiel mir noch ein, dass ich einen Stimmbandkatarr hatte.

»Conclusion«, krächzte ich und die Englischfrau lächelte und nickte und schien nichts Besonderes daran zu finden.

Aber ich lehnte mich in meinem Stuhl zurück und atmete tief und spürte, dass gerade etwas Erstaunliches passiert war. Dies war nämlich ein Gymnasium; und ich war Kevin Bottel. Ich meldete mich wieder, als sie wissen wollte, was *in der Klemme* hieß, und diesmal fühlte ich mich schon ganz ruhig.

»In trouble«, sagte ich und vergaß ganz zu krächzen. Ich würde Nisi unbedingt das Gymnasium empfehlen. Das machte sie doch mit links.

»Ich glaube, du solltest lieber nicht so viel reden, Calvin«, sagte die Englischfrau. »Jetzt haben wir beide ganz deinen Katarr vergessen. Aber schön, dass du so gut vorbereitet bist«, und sie lächelte mich wieder an und ließ mich für den Rest der Stunde in Ruhe.

Und ich fühlte mich gut. So gut, dass ich mich sogar nach Gun umdrehte, 9,2 auf der Tantenbewertungsskala. Aber die unterhielt sich gerade mit ihrer Nachbarin.

CALVIN

Als ich nach Hause kam, hörte ich schon im Treppenhaus Nisis Stimme.

»Ich will das aber, Mama!«, rief sie und es klang, als ob sie gleichzeitig weinte. »Warum kann ich das denn nicht!«

Ich klingelte. Unten vor der Haustür hatte ich ungefähr fünf Kubikmeter Straßenluft mit 20%igem Bleianteil eingeatmet, um bis zum dritten Stock zu kommen ohne Mund und Nase ein einziges Mal bewegen zu müssen; aber die Reaktion auf mein Klingeln war so schleppend, dass ich meine Lungen doch dem aufregenden Gasgemisch im Treppenhaus aussetzen musste. Ich schlug fast tot auf die Fußmatte.

»Wovon soll ich das denn bezahlen, erzählst du mir das mal?«, sagte die kleine Frau. Sie hatte die Tür geöffnet ohne mich dabei anzugucken. »Du weißt doch, wie es letztes Mal war! Mit mir nicht wieder, Nisi! Das schmink dir mal ab!«

Ich schloss die Wohnungstür, um die Flurluft vor der Bedrohung von außen zu schützen. Offenbar gab es hier gerade eine Auseinandersetzung zwischen Mutter und Tochter.

»*Alle* feiern Geburtstag!«, schluchzte Nisi. »Sonst lädt mich doch keiner zu seinem ein!«

»Alle?«, rief die kleine Mutter. »Welche alle, sag mir das mal! Ich kann mich nicht erinnern, dass du bei Günay eingeladen warst! Oder bei Filiz! Auch nicht bei Anja, oder? Von alle kann ja wohl kaum die Rede sein!«

Nisi zog die Nase auf. »Hast du mir das Buch mitgebracht, Kevi?«, fragte sie und nun zog sie auch noch ihr Handgelenk unter der Nase längs. »Du hast gesagt, du machst das immer!«

Ich guckte verblüfft. Aber in meinem Gehirn fingen die Synapsen an sich kurzzuschließen.

»Nun hör doch mal auf, Nisi!«, rief die Mutter. »Nicht schon wieder diese Leserei! Geh raus und spiel an der frischen Luft, sonst wirst doch noch blass und nervös!« Und sie ließ Wasser aus dem Hahn in einen Topf laufen.

Ich hätte sie gerne gefragt, wo es denn in dieser Gegend frische Luft zum Spielen gab, aber genau in dem Moment hatten meine Hirnzellen ihre Kombinationsaufgabe gelöst.

»Klar hab ich das Buch, Nisi«, sagte ich und machte mich am Rucksack zu schaffen. Gott sei Dank war dieser Kevin also doch kein gefährlicher Irrer, der sich für Pferdebücher interessierte. Obwohl es mir natürlich eigentlich egal sein konnte. Aber wenn man einen Doppelgänger hat, will man irgendwie doch nicht so gerne, dass bei ihm größere Defekte vorliegen.

»*Immer diese Haflinger!*«, und ich hielt Nisi das Buch unter die Nase.

»Oh, Kevi, toll!«, sagte Nisi und schnappte es sich. »Haflinger sind süß, findest du auch?«

Als ich ungefähr sieben gewesen war, hatten Momma und Daddo versucht mich fürs Reiten zu begeistern. Sie hatten mir die notwendige Ausrüstung gekauft und mich in einem Reitverein angemeldet, aber das war eine kurze Episode geblieben. Ich hatte die Pferde einfach nur groß und gefährlich und vor allem total langweilig gefunden und darum hatte ich dann aufhören und lieber eine Stunde Tennis mehr pro Woche machen dürfen.

»Klar sind Haflinger süß«, sagte ich. Und weil ich fand, dass ich glaubwürdiger war, wenn ich mich wenigstens ein bisschen für das Familienleben interessierte, fragte ich noch:

»Wo ist denn Ramon?«

Die Mutter zeigte mit dem Daumen Richtung Flur ohne hochzusehen.

»Im Bett«, sagte sie. »Der war letzte Nacht zu lange weg. Bist du jetzt wenigstens zufrieden, Nisi? Wo du dein Buch hast?«

Nisi guckte mich an. »Geburtstag will ich aber auch feiern!«, sagte sie.

Nun hab ich früher immer gedacht, kleine Schwestern sind nervig, jammerig und klauen einem Zeugs aus dem Zimmer und wollen, dass man mit ihnen *Mensch ärgere dich nicht* spielt, und darum war ich eigentlich immer ganz froh, dass ich ein Einzelkind bin. Und vielleicht sind kleine Schwestern auch wirklich so, wenn man jeden Tag mit ihnen zu tun hat, aber wenn man sie nur mal so kurz ausgeliehen kriegt, ist es irgendwie anders. Da war diese Nisi einfach nur klein, und wenn sie mich so anguckte, hatte ich plötzlich das Gefühl, dass ich sie gegen die ganze Welt beschützen wollte. Es kann ja sein, dass das ein Zeichen für frühzeitige Vergreisung ist, aber jedenfalls konnte ich sie nicht einfach dieser Mutter überlassen.

»Und wieso soll sie das nicht?«, fragte ich und zwinkerte Nisi zu. »Feiern?«

Die Mutter drehte sich so ruckartig zu mir um, dass sie fast den Topf vom Herd geschleudert hätte.

»Mann!«, schrie sie. »Kevi! Bist du blöd oder was?«

Ich schüttelte den Kopf. »Ich begreif nicht, wieso«, sagte ich hartnäckig.

Nisi guckte erschrocken, aber die Mutter klärte mich schon auf.

»Punkt eins, ja?«, sagte sie. »Kohle. Rechne mal aus, was das kostet, Mann! Kuchen für die alle und Negerküsse und

Gummitiere und Cola-Fanta-Sprite! Und meine Putzstelle kann ich auch sausen lassen an dem Nachmittag, rechne mal aus! Und Gewinne! Weißt du nicht mehr, wie die letztes Jahr alle rumgemeckert haben, dass die Gewinne Scheiße sind? Ich kann nicht losgehen und auch noch für jedes Kind für fünf Mark was kaufen! Bin ich Millionär oder was?«

»Ich brauch gar keine Gewinne!«, sagte Nisi. »Mama, du! Nur feiern, ohne Gewinne!«

»Und Kuchen brauchst du auch nicht?«, sagte die Mutter.

»Nee, danke, lass mal. Ich hab das letztes Jahr erlebt, mit mir nicht mehr.«

»Nee?«, sagte Nisi leise und ich begriff, dass sie aufgegeben hatte.

Ich winkte sie aus der Küche. »Wir kriegen das bestimmt hin, Nisi«, flüsterte ich.

Aber Nisi sah nicht getröstet aus. Eher misstrauisch. Und wenn ich überlegte, hatte sie eigentlich Recht.

Ich wusste ja nicht mal, wann sie Geburtstag hatte. Und sowieso würde ich an dem Tag längst wieder zu Hause sein.

KEVIN

Und dann das Mittagessen, Leute.

Wow, und das ist das einzige Wort, das mir dazu einfällt. Ich hatte keine Ahnung, was das rötliche Zeugs auf meinem Teller sein sollte. Irgendwie italienisch, glaube ich. Aber ich musste ja dazu auch keine Prüfungsfragen beantworten.

Am Esszimmertisch, auf dem nur zwei Platzdecken lagen, saß Frau Momma und sah inzwischen durch feinstes Hairstyling und Rouge circa sieben Jahre jünger aus. Nur noch ungefähr wie dreiundsiebzig.

»Cal!«, sagte sie. »Du bist spät!«

»Gab noch was zu erledigen«, sagte ich. Was nicht mal ganz gelogen war. Nach der Schule hatte ich versucht, 9,2 anzubaggern, auf die einfache Art, also zum Beispiel: »Ej Mensch, Gunni, das war ja total geil vorhin, wie du den Mathetyp angemacht hast, ej! Ich hatte gedacht, wir beiden sollten vielleicht mal zusammen abtanzen oder was oder ins Kino oder ...«

Und natürlich hatte sie da gar nicht anders gekonnt als zu sagen, dass sie genau davon auch schon seit Wochen träumte, und wir hatten was ausgemacht.

Nur leider ätschibätschi. Natürlich hätte es so laufen müssen, aber irgendwie hatte in meinem Leben immer mehr gesollt, als nachher wirklich war. Ich hatte sie anbaggern wollen und ich hatte auch vor der Schule auf sie gewartet. Aber diese Gun hatte so einen Blick, dass ich mich noch nicht mal getraut hatte *ciao* zu sagen. Stattdessen hatte ich mich ganz schnell gebückt und an meinem Schnürsenkel rumgemacht.

»Rede doch nicht in so einem Ton!«, sagte Frau Momma.
»Wie sitzt du denn, Cal!« Und wenn in diesem Augenblick
nicht eine Frau mit weißer Schürze gekommen wäre, hätte
sie mir vielleicht noch einen Vortrag über Tischmanieren gehalten.

»Soll ich auftragen, gnädige Frau?«, fragte die Schürzenfrau
mit diesem harten Akzent, den ich von den Müttern aus meiner Klasse kenne. Jenseits von Oder und Neiße, schätze ich
mal. Vielleicht Russland. Oder Kasachstan.

»Oh, wenn Sie das tun würden, Margareta?«, sagte Frau
Momma und strahlte ihr Kunststofflächeln ab, als wollte sie
Werbung für Kukis machen. Ich wäre fast rückwärts vom
Stuhl gefallen. »Auffüllen können wir uns dann selber, Margareta, vielen Dank«, und sie lächelte wieder und diese Margareta machte ein Gesicht, das vielleicht auch Lächeln bedeu-
ten sollte, aber vor allem die passende Ehrfurcht des Dienst-
personals vor der Herrschaft. Das Ganze war total geil.

»Ich geh dann jetzt, gnädige Frau«, sagte Margareta. Wenn
ich nicht einer wäre, der bei Unklarheiten immer kurz die
Augen abcheckt um zu wissen, was los ist, wäre ich auf diesen ganzen *Gnädige Frau*-Scheiß reingefallen. Aber ich check
immer die Augen ab, das kann überlebenswichtig sein, da
kannst du sehen, ob einer es ehrlich meint. Und diese Margareta meinte es nicht ehrlich, hätte man sich ja denken können. In ihren Augen jedenfalls war mindestens so viel Ver-
achtung, wie in ihrer Stimme Demut war, und jetzt nickte sie
höflich und wahrscheinlich holte sie sich im Flur ihren Man-
tel. Wenn der da überhaupt öffentlich an der Designergarde-
robe hängen durfte.

Frau Momma füllte mir auf. »Ich bin so froh, dass wir Margareta haben«, sagte sie. »Von den früheren Putzfrauen hat

keine ihren Stil gehabt. Ich glaube, ich sollte ihr eine Mark mehr die Stunde geben. Was meinst du?«

»Klar«, sagte ich. Ich war immer dafür, Putzfrauen gut zu bezahlen. Vielleicht sprach sich das dann ja auch bis zu Mamas Putzstellen rum.

»Schlürf doch nicht so, Cal!«, sagte Frau Momma unzufrieden. »Und wie war die Schule?«

»Englisch war total gut«, sagte ich. Das war ja nicht mal gelogen.

Frau Momma strahlte. »Na siehst du!«, sagte sie. »Und heute lernen wir beiden wieder. Und vergiss nicht, dass der neue Nachhilfelehrer heute kommt. Ich hab übrigens einen Friseurtermin für dich abgemacht.«

»Danke«, sagte ich. Jetzt war es gleich halb drei. In ungefähr fünf Stunden würde ich zu Hause sein.

CALVIN

Vom Zeitungsaustragen hatte Kevin mir nichts erzählt. Vielleicht hatte er die Wochentage durcheinander gekriegt, jedenfalls war von Zeitungen nicht die Rede gewesen.

Aber die kleine Mutter erinnerte mich, gleich nach dem Mittagessen, über das ich lieber kein Wort verlieren möchte, und ich wagte nicht zu widersprechen.

Oder zu fragen, logischerweise. Wie hätte das denn ausgesehen? »Äh, sag mal und alles, aber ich erinner mich gerade nicht mehr, wo ich die Zeitungen abholen muss. Wo ich sie verteilen muss, auch nicht. Komisch eigentlich, oder? Glaubst du, ich hab mich vielleicht mit Rinderwahnsinn angesteckt?«

Sie hätte mir eine gescheuert, da bin ich fast sicher. So wie diese Mutter aussah, hätte ich es ihr glatt zugetraut, obwohl sie fast einen Kopf kleiner war als ich. Aber dafür war sie mindestens drei Köpfe energischer.

»Kommst du mit, Nisi, du kannst mich doch bringen«, sagte ich darum lieber und steckte den Kopf ins Mädchenzimmer, wo Nisi auf dem Bett lag und in ihre Haflingerwelt eingetaucht war. »Wir können uns dabei ja unterhalten.«

Nisi schreckte hoch. So groß war die Geschwisterliebe offenbar nicht gewesen, dass Kevin sich darum gerissen hätte, seine kleine Schwester mitzuschleppen.

»Du kannst mir ja was über deine Bücher erzählen«, sagte ich verführerisch. »Das finde ich spannend.«

Nisi guckte skeptisch, aber offenbar lächelte ich überzeugend genug.

»Na gut«, sagte sie ein kleines bisschen maulig. »Nur noch die Seite zu Ende.«

So lange konnte ich gut auf sie warten. Lieber kam ich zehn Minuten zu spät bei der Verteilerstelle an als gar nicht. Weil ich jetzt nämlich ehrlich gesagt sogar Lust dazu gekriegt hatte.

Als ich zwölf war, hatte ich das auch immer gerne gewollt, Zeitungen verteilen, aber daran war natürlich gar nicht zu denken gewesen. Daddo hatte gesagt, selbstverständlich hätte er absolut nichts dagegen, wenn ich frühzeitig mit dem Geldverdienen anfinge, aber mein Job wäre zurzeit eben die Schule und da liefe es ja nun nicht gerade so glänzend, dass ich meine Nachmittage vertrödeln könnte. Ich hatte dann noch einen vorsichtigen Vorstoß gewagt und vorgeschlagen, dass ich dafür dann ja Hockey aufgeben könnte, aber da war Daddo ziemlich grundsätzlich geworden.

»Ich weiß, dass dir Hockey von Anfang an keinen Spaß gemacht hat«, hatte er gesagt. »Aber dann gibst du dir eben mal ein bisschen Mühe! Hockey spielt man nicht, weil es Spaß machen soll! Hockey spielt man wegen der Kontakte!« Und da hatte ich gewusst, dass es keinen Sinn hatte weiterzubohren.

Aber nun hatte mir der Zufall doch noch eine zweite Chance geschenkt, nur dass inzwischen meine Begeisterung längst nicht mehr so groß war. Solche Sachen findet man gut, wenn man zwölf ist.

»Fertig!«, sagte Nisi und legte einen U-Bahn-Fahrschein in ihr Buch, bevor sie es zuschlug. Offenbar fuhren in dieser Familie doch nicht alle schwarz. »Das ist aber ein spannendes, Kevi!«

»Klar ist es das«, sagte ich. »Was anderes würde ich dir doch niemals mitbringen«, und ich hielt ihr meine Hand hin und sie fasste mich an und guckte ein bisschen komisch und dann hüpfte sie neben mir her und redete und redete die ganze Zeit von Pferden und einem Mädchen, das Janina hieß, aber Jenny genannt wurde, und ich nickte und sagte: »Das ist ja toll, du!« oder: »Echt jetzt, wirklich wahr?«, und dabei hoffte ich die ganze Zeit, dass Nisi tatsächlich wusste, wo ich diese Zeitungen abholen musste.

Sie wusste es. Die Zeitungen lagerten in großen, zusammengebundenen Stapeln in einer Garage, diese Werbeblätter eben, die man jede Woche gratis in den Kasten gesteckt kriegt, und ich tat meinen Packen in einen Rollwagen und zog los.

Einen Augenblick trottete Nisi noch neben mir her und erzählte von Pferden, aber dann verabschiedete sie sich doch.

»Du hörst ja gar nicht richtig zu, Kevi!«, sagte sie böse. »Dann geh ich aber jetzt!«

»Ich arbeite, Mann!«, sagte ich und guckte auf meine Straßenliste. »Siehst du doch!«, und ich hätte einiges dafür gegeben, wenn ich jetzt einen Stadtplan gehabt hätte.

Nisi schnaufte und zeigte mir einen Vogel. »Piep, piep, piep!«, schrie sie. Dann war sie verschwunden.

Ich brauchte fast drei Stunden, aber als ich zur Garage zurückkam, fühlte ich mich gut. Ich hätte den Stapel natürlich auch einfach irgendwo in einem Hausflur hinter der Eingangstür deponieren können, dunkel genug war es in den meisten ja; aber jetzt hatte ich wieder diesen Ehrgeiz. Zum zweiten Mal 4000 Meter an einem Tag. Und ich hatte sie geschafft.

»Dann unterschreib hier mal«, sagte der Oberverteiler und schob mir einen Quittungsblock hin. »86,40. Für diesen Monat.«

Ich starrte ihn an. Einen Moment lang glaubte ich, dass er Witze machte. 86,40 für den ganzen Monat? Dafür, dass man vier Nachmittage lang Rollwagen gezogen und in dunklen, riechenden Treppenhäusern Zeitungen in verbeulte Briefkästen gestopft hatte? Da warfen meine Aktien ja locker mehr ab, solange der DAX nicht verrückt spielte, und das alles, ohne dass ich einen Finger krumm machen musste.

»Willst du mich verscheißern, Mann?«, sagte der Chef wütend. »Wenn ich sage, unterschreiben, meine ich auch unterschreiben, Blödmann! Jetzt kann ich eine neue Quittung ausstellen!«, und zwischen seinen Lippen erschien eine rosa gerollte Zungenspitze, während er angespannt den Kugelschreiber ansetzte. »Weißt du, dass das verboten ist? Urkundenfälschung, so heißt das! Beim nächsten Mal schreibst du gleich Michael Jackson, was?«

Er gab mir die Quittung und mir zitterten die Finger. Ein Glück, dass dieser Mensch nicht misstrauisch war! Beim Unterschreiben hatte ich ganz vergessen, dass ich nicht mehr Calvin Prinz war.

»Nee, diesmal schreib ich Rambo«, sagte ich und versuchte zu grinsen. »Sylvester Stallone. So okay?« Und ich hielt ihm die Quittung hin.

Ich hatte keine Ahnung, wie Kevins Unterschrift aussehen musste, aber das wusste der Chef offenbar auch nicht.

»Na bitte, Kevin Bottel«, sagte er zufrieden und schob mir das Geld hin. »Und hier ist die Marie. Steck schön weg.«

Ich tippte mir mit zwei Fingern gegen die Stirn. »Bis nächste Woche«, sagte ich.

Zum ersten Mal in meinem Leben hatte ich Urkundenfälschung begangen.

KEVIN

Inzwischen hätte ich mich auch schon fast gewundert, wenn mich Frau Momma nicht persönlich zum Friseur gefahren hätte. Es war ja längst klar, dass sie den ganzen Tag nichts anderes zu tun hatte als um ihren Goldjungen herumzutänzeln, und allmählich fing ich an zu begreifen, warum mein Double sich auf diesen schwachsinnigen Tausch mit mir eingelassen hatte. Um diesem Strahlelächeln für ein paar Stunden zu entkommen, würde logisch jeder einiges riskieren.

Aber ich war ja nicht Calvin Prinz und ich müsste schon ziemlich lügen, wenn ich irgendwem einreden wollte, dass ich jeden Tag mit dem Cabrio zum Friseur gefahren werde. Darum war es für mich noch nicht mal so schrecklich.

»Nun lass die Finger doch endlich mal von den Fenstern, Cal!«, sagte Frau Momma, nachdem ich zum dritten Mal den elektrischen Fensterheber bis zum Druckpunkt ausgereizt hatte. Elektrischer Fensterheber, Mann! Wenn ich mal Auto fahre, dann meistens mit meinem Onkel Wolfgang und der hat einen Mazda, bei dem er die TÜV-Plakette mit einem Kaugummi abgeklebt hat.

»Total geiles Feeling«, sagte ich und lehnte mich zurück. Leder und poliertes Holz. Natürlich kennt man solche Schlitten aus der Werbung.

»Cal, ich sage dir jetzt zum hundertsten Male«, sagte Frau Momma, und da schwor ich ihr leichten Herzens, dass ich niemals wieder so ungehörige Ausdrücke gebrauchen würde. Beim Friseur setzte sie sich Gott sei Dank in die Warteecke und trank einen Kaffee und unterhielt sich nett mit einer

Dame, die nicht im Entferntesten so aussah wie die Tussis bei unserem Friseur. Mehr wie eine Bürofrau, würde ich sagen, irgend so was Businessmäßiges, und die Tante, die an meinen Haaren rummachte, sah aus, als hätte sie mindestens Abitur. Vielleicht sollte ich Jacqueline empfehlen sich auch weniger Farbe um die Augen zu malen. Aber die hatte natürlich andere Kunden.

»Gefällt es dir?«, fragte die Frau mit dem Abitur, und die ganze Zeit unterhielten sich Momma und die Businessfrau darüber, wie in aller Himmel Namen es passieren könne, dass jemandem die Haare innerhalb eines Tages (»Nur ein Tag, ich sage es Ihnen doch!«, rief Frau Momma immer wieder) so rasant wachsen konnten.

Aber die Businessfrau hatte in ihren Jahren im Dienste der Schönheit schon alles Mögliche erlebt, Haare, die ausfielen, und Haare, die wuchsen wie verrückt, und Haare, die ganz im Gegenteil jedes Wachstum aufgegeben hatten, und sie versicherte Frau Momma, dass ihrer Einschätzung nach keinesfalls damit zu rechnen wäre, dass mein Haar von jetzt an jeden Tag einen solchen Sprung nach vorne machen würde.

»Obwohl, Haar, das verblüfft uns ja immer wieder«, sagte die Businessfrau. »Aber solange die Haarqualität noch die gleiche ist«, und die Tante mit dem Abitur, die in diesem Laden offenbar regelmäßig für mich zuständig war, versicherte, dass es da keinen Unterschied zu früher gäbe.

Dann verabschiedeten wir uns mit einem reichlichen Trinkgeld.

Bevor ich aus der Tür ging, warf ich noch einen letzten Blick zurück in die vielen Spiegel.

Jetzt war ich endgültig Calvin Prinz.

CALVIN

Als ich aus dem Garagenhof kam, hatte ich meine Hand in der Tasche fest um das Geld geklammert.

86,40, das war natürlich ein Witz, aber es war das erste selbst verdiente Geld in meinem Leben und ich kann jedem versichern, das ist kein schlechtes Gefühl.

Ich schlenderte durch die Straßen bis zu dem schäbigen kleinen Einkaufszentrum, an dem ich auf meiner Tour vorbeigekommen war, und beschloss das Geld gleich auf den Kopf zu hauen. Dafür waren 86,40 genau die richtige Summe. Wenn es 1000,– gewesen wären, hätte ich schon angefangen nachzudenken, und 50,– hätte nicht gelohnt. Aber 86,40 war irgendwie so ein Betrag, der geradezu zum Ausgeben aufforderte. Und ich war schließlich Kevin Bottel, der Kohle gemacht hatte, und ich war sicher, dass Bottel seine Kohle immer gleich verfeuerte.

Ich ging extra langsam. Die Sonne schien in die Häuserschluchten und auf den Balkons standen alte Frauen mit goldblonden Haaren und gossen Geranien. Kleine schwarzhaarige Kinder spielten zwischen den geparkten Autos Verstecken und brüllten sich etwas zu in einer Sprache, die nach Urlaub klang.

Ich fing an zu pfeifen. Ich war Kevin Bottel. In weniger als vierundzwanzig Stunden hatte ich es geschafft.

Ich kannte die Straßen, hier hatte ich schließlich Zeitungen verteilt, und niemand sah mich blöde an. Ich hatte nicht nach 1000 Metern aufgegeben und niemand hatte etwas gemerkt.

Ich war Kevin Bottel und ich fühlte mich, als wäre ich besoffen.

Das Einkaufszentrum war winzig. Wer in dieser Gegend wohnte, musste zum richtigen Einkauf in die U-Bahn steigen. Wer Schuhe wollte, zum Beispiel, hatte keine Chance, außer wenn sie zufällig gerade bei *ALDI* im Zusatzangebot waren. Es gab einen Supermarkt und einen Dro-Markt und einen Schlachter und einen türkischen Gemüseladen; es gab eine *Quelle*-Filiale, in der drei Frauen mit Kopftuch eifrig in Katalogen blätterten; und dann gab es da noch diesen Jeans-Shop.

Groß war die Auswahl an Sachen, die ich mir für meinen angekratzten Hunni kaufen konnte, also nicht; wenn ich nicht scharf war auf *ALDIs* besten Kaffee oder die elektrische Wärmedecke, die sie diesen Monat im Angebot hatten, blieb eigentlich nur noch ein nettes Sortiment Blasen- und Nierentee aus dem Dro-Markt. Für 86,40 Schweinepest und Rinderwahn will man ja auch nicht so gerne.

Ich spielte in der Hosentasche mit den Scheinen. Was machten denn die Typen, die echt hier wohnten? Wahrscheinlich hatten die sich längst alle in die U-Bahn gesetzt und waren schwarz in die Innenstadt gefahren, um da die Kaufhäuser aufzumischen. Wenn man seinen Seelenzustand einigermaßen stabil halten wollte, blieb einem in dieser Gegend nur die Flucht aus der Trostlosigkeit.

In der *Quelle*-Filiale waren die drei Muttis jetzt fertig mit dem Aussuchen. Zusammen kamen sie lachend und gestikulierend aus dem Laden, und weil sie mir einladend die Tür aufhielten, überlegte ich wirklich einen Augenblick, ob ich meine erste selbst verdiente Kohle nicht vielleicht als Anzahlung für eine schicke Nähmaschine verwenden sollte, mit der ich dann berauschende selbst kreierte Modellkleider herstellen würde, nachts, beim matten Schein der 20-Watt-Glühbir-

ne in der Küchenlampe. Auf diese Weise würde ich mein
Kapital in ganz kurzer Zeit verhundertfacht haben und ich
konnte dieses armselige Viertel verlassen und meiner lieben
Mutti eine Zweitwohnung an der Ostsee kaufen, und die
Story vom Schuhputzer zum Millionär wäre ein weiteres Mal
Wahrheit geworden. Und Daddo würde mir auf die Schulter
klopfen und mir einen festen Händedruck schenken und sagen, was er immer sagt, weil es sein Wahlspruch ist: »Einen
Prinz kannst du in der Wüste ohne Wasser aussetzen, ein
Prinz kommt immer nach oben. Ein Prinz bleibt immer ein
Prinz.«
Nur leider haben mich Nähmaschinen noch nie richtig um-
hauen können, darum musste ich meine Millionärskarriere
in der Blüte knicken. Natürlich hatten sie im Schaufenster
auch attraktive Bügeleisen und eine gediegene Erstlingsaus-
stattung für Babys und einen Karton nachgemachter Barbie-
puppen. Aber irgendwie war es das alles nicht.
Dass ich den Jeans-Shop nicht ernsthaft in Erwägung gezogen hatte, ist natürlich nachträglich ein Beweis für meine
Unwissenheit. Aber man kann ja mal logisch überlegen: ein
Jeansladen und 86,40. Was soll denn das wohl bringen.
Ich überlegte gerade, ob mich der Dro-Markt mit seinem
reichhaltigen Angebot an Fußpuder und Marmorpolitur
nicht doch überzeugen könnte, als ich sie sah.
Ja, okay, ich mach es nicht so spannend, es ist ja sowieso
schon klar, von wem ich rede. Tatjana kam von *ALDI* mit
einem Leinenbeutel in der Hand und stellte sich vor den
Jeans-Shop. Und ich war Kevin Bottel und konnte tun, was
ich sonst vielleicht nie getan hätte.
»Hi, Tatjana«, sagte ich und vor Schreck ließ sie fast ihren
Beutel fallen.

»Arschbacke«, sagte Tatjana und guckte weiter ins Schaufenster. Ich überlegte, wofür genau sie sich wohl interessierte. Die meisten Teile fand ich eher matt.

»War doch witzig heute Morgen«, sagte ich freundlich. »In Mathe. Fand ich gut.«

Jetzt drehte Tatjana sich doch noch zu mir um. Sie starrte mich an, als ob ich gerade erst vom Mars auf diesem entzückenden Fleckchen Erde gelandet wäre und nun überall meine Seh- und Riechhörner und zweiundachtzig weitere Tentakel in Antennenform ausgefahren hätte.

»Hast du Scheiße in der Birne oder was?«, sagte sie wütend mit dieser tiefen Stimme, und jetzt hörte ich zum ersten Mal richtig, dass da noch ein Mini-Akzent war, so ein aufregender kleiner Akzent-Rest, ungefähr so, wie ihn unsere polnische Putzfrau hat, nur irgendwie sexy.

Ich holte Luft. »Nicht direkt«, sagte ich und dann war ich still und starrte neben ihr ins Schaufenster und überlegte, ob sie nicht vielleicht doch Recht hatte, wenn sie glaubte, in meinem Hirn wäre irgendwas außer Kontrolle. Ich stellte mir vor, dass ich bei uns zu Hause vor dem Jeansladen stand, ein Mädchen neben mir, und dieses Gespräch führte.

Mir wurde ganz übel. Ganz abgesehen davon, dass ich bei uns keine kannte, die so redete, hätte *ich* es auch nicht getan. Ich war doch nicht blöd! Ich stellte mich doch nicht beharrlich und hartnäckig neben ein Mädchen, das mich schon seit dem Morgen nur anmachte und beschimpfte. Das hatte ich wirklich nicht nötig.

Aber der hier stand, war Kevin Bottel, und schon in ein paar Stunden würde ich wieder zu Hause sein. Und Tatjanas Stimme hatte so einen Klang, dass es mir den Rücken runterlief, Wirbel für Wirbel, und eine Spannung von ungefähr zweitausend Volt in mir aufbaute, und ich hoffte nur, dass der Körperelektriker, der das alles kontrollierte, genügend Sicherungen eingebaut hatte.

Nein, jetzt mal ernsthaft und zur Beruhigung: Ich falle normalerweise nicht immer gleich über jede Frau her, die eine tiefe Stimme und einen sexy Akzent hat. Ich bin im Gegenteil äußerst gesittet und wohlerzogen, und außer dass ich einmal in der sechsten Klasse, als wir mit drei Jungs aus meiner Hockeymannschaft drei Mädchen ins Kino überredet hatten, in der Dunkelheit des Kinosaals die Hand meiner Reihennachbarin geknetet und gegen ihren halbherzigen Widerstand ziemlich verzweifelt versucht hatte sie zu küssen, weil das schließlich der Grund dafür war, dass man zusammen ins Kino ging anstatt fernzusehen – außer dieser kleinen Episode sexueller Nötigung kann ich weiter auf gar nichts in dieser Richtung verweisen, wenn man nicht die feuchten Küsse der Grundschulzeit einbeziehen will. Es war mir ehrlich gesagt sogar manchmal schon ein bisschen unheimlich vorgekommen, dass ich bisher noch von keinem Mädchen mehr gewollt hatte als ihre Mathe-Hausaufgaben.

Natürlich erklärt einem jeder, dass es auch völlig okay wäre, schwul zu sein, aber einfacher ist es eben doch, wenn man auf Frauen steht. Vielleicht war ich also auch deshalb so aufgeregt, als ich beobachtete, wie die Voltzahl in meinem Körper stieg, der jetzt gerade Bottels Körper war, und allmählich einen Punkt erreichte, an dem man sich auf ein Beben gefasst machen musste, ungefähr von der Stärke 14,9 auf der nach oben hin offenen Richter-Skala.

»Nee, guck mal, Tatjana«, sagte ich, und ich wusste, dass es nur eine Möglichkeit gab, die Spannung zu senken und ein Durchbrennen der Sicherung zu vermeiden, und darum legte ich ihr schnell die Hand auf den Arm und spürte tatsächlich, wie ungefähr 1000 Volt zu ihr rüberzischten. Aber komischerweise half das kein bisschen. Stattdessen hatte ich das Gefühl, dass mein Kraftwerk gleichzeitig mindestens 2000 neue Volt ins Netz speiste. Hier war mehr angesagt als Handauflegen.

»Finger weg!«, sagte Tatjana wütend und stieß mich zurück. »Jetzt ist wieder *guck-mal-Tatjana* oder was? Und gestern Morgen? Gestern Morgen war *fetter-Arsch-Tatjana*!« Und sie starrte mich an, dass ich wusste, es würde mir nicht viel helfen, wenn ich heute Abend eine U-Bahn-Stunde zwischen uns legte.

Einen winzigen Augenblick überlegte ich in meinem durch massive Überspannung kaum mehr funktionstüchtigen Hirn, ob ich ihr erzählen sollte, dass ich gestern Morgen auf der anderen Seite der Stadt einigermaßen verzweifelt eine missratene Mathearbeit entgegengenommen und absolut nichts von ihrer Existenz gewusst hatte. Aber mir war schon klar, dass das ein Fehler gewesen wäre. Wenn Tatjana jetzt schon davon ausging, dass in meiner Hirnschale nichts als Fäkalien schwammen, würden solche Erklärungen sie höchstens endgültig in die Flucht treiben. Ich musste klug und listig sein.

»Guck mal, das Sonderangebot!«, sagte ich.

KEVIN

Es war ja schon klar, dass diese Berufsmutter mich auch nach der Rückkehr vom Friseur nicht aus ihren Klauen lassen würde.

»Siehst du, Cal, dann können wir jetzt auch gut noch ein bisschen Englisch machen«, sagte sie und zupfte sich vor dem Dielenspiegel die Frisur zurecht. »Bevor dann deine Mathenachhilfe kommt. Hol schon mal dein Buch.«

Ich starrte sie an. »Englisch?«, sagte ich. »Jetzt?«

Frau Momma lachte glockenhell. »Erinnerst du dich an heute Morgen?«, fragte sie. »Du hast einiges nachzuholen, Calvin!«

»Aber in der Schule war ich ganz gut!«, sagte ich bittend. »Echt jetzt, in der Schule war ich ganz gut!«

Ich sprintete zur Treppe und hoch in mein Zimmer. Ich war doch nicht blöd und vergeudete den einzigen Tag meines Lebens, den ich jemals in so einer Nobelumgebung verbringen würde, damit, Englisch und Mathe zu lernen! Da musste diese Dame aber schon ein paar starke Kerle holen, die mich in der Zwangsjacke abführten.

Aber das hatte sie gar nicht vor. »Na gut, Calvin, dann ruh dich erst mal aus«, sagte sie mütterlich. »Aber wenn dieser Herr – nun weiß ich gar nicht, wie er heißt! – kommt, um Mathe mit dir zu lernen, kommst du runter.«

»Logisch!«, sagte ich. Zu Kompromissen muss man immer bereit sein, das lernt man schnell, wenn man das Zimmer mit einem fünf Jahre älteren Bruder teilt. »Nur mal kurz computern.«

»Computern?«, sagte sie und zog die Brauen in die Höhe. Wahrscheinlich hatte ich wieder nicht das richtige Wort getroffen.

Die PCs in Calvins Zimmer hatte ich mir am Abend schon angeguckt, drei Stück und alle mit Drucker, aber nicht vernetzt. Zum Glück war sein Zimmer so groß, dass trotzdem noch genügend Platz für reichlich anderes war.

Ich beschloss den Turm zu nehmen, der am neuesten aussah. Zu Hause hatte ich ein Nintendo, da war ich früher auch ganz gut dran gewesen; aber einen richtigen Computer hatte ich eigentlich noch nie unter den Fingern gehabt.

Vielleicht machte es gerade darum so viel Spaß. Ich bin ja keiner von den Ängstlichen, die immer gleich glauben, sie machen alles Schrott, wenn sie mal aus Versehen den falschen Knopf drücken. Knöpfe drückte ich reichlich.

In meiner Klasse sind auch zwei Typen, die zu Hause einen PC haben, und bei einem durfte ich auch schon mal mitgehen. Aber richtig an das Teil gelassen hat er mich dann doch nicht, weil er gesagt hat, er kriegt sonst Ärger mit seinem Vater. Den hat er allerdings sowieso gekriegt, weil sich nachher rausstellte, dass er selber auch überhaupt nicht an den PC durfte. Da bin ich dann lieber geflohen.

Und im Kaufhaus stehen natürlich auch immer Computer, an denen hab ich auch schon rumgespielt. Aber da kommen dann ja immer gleich diese Jungdynamischen im weißen Hemd mit Schlips und sagen mit so einer unauffälligen Stimme, dass man bitte seine Finger wegnehmen soll, wenn man sich nicht auskennt. Dass man sich auskennt, glauben die nie.

Aber jedenfalls wusste ich doch, wie man Sachen mit der Maus anklickt und wie die Menüs funktionieren, und es war total gut. Glatt zweihundertmal besser als Nintendo. Ich begreif echt überhaupt nicht, wieso Leute, die einen Computer haben, den zum Spielen benutzen. Dazu reicht auch ein Gameboy.

Neben dem Turm lag ein Stapel Handbücher, und weil ich es nach einer Weile satt hatte, nur immer so einfach rumzuprobieren, nahm ich mir eins davon und fing an zu lesen.

Es war alles total einfach, echt. Dieser Computerkram ist wirklich so gemacht, dass auch der letzte Idiot ihn versteht. Ich klickte mit einfachem und mit Doppelklick und probierte Tastenkombinationen und ehrlich jetzt und kein Scheiß: Es passierte wirklich jedes Mal genau das, was das Buch mir versprochen hatte.

Ich wollte gerade anfangen einen kleinen Text zu schreiben, nur so zur Probe, um auch mal den Drucker anzuwerfen, als es unten an der Haustür klingelte.

»Der Mathetyp«, tippte ich, weil man schließlich irgendwas tippen muss, »ist ein A.« Weiter kam ich nicht. Frau Momma steckte den Kopf durch die Tür und sah missbilligend auf den Monitor.

»Calvin«, säuselte sie, doch, säuseln ist wirklich genau das Wort, und das tat sie natürlich nur, weil ihr draußen jemand zuhörte, »Herr Schnorrhammer ist da und möchte mit dir Mathematik lernen.«

Möchte, ja? Ich hätte darauf gewettet, dass dieser Herr Schnorrhammer genauso wenig scharf auf unsere gemeinsamen 45 Minuten war wie ich. Wahrscheinlich brauchte er die Kohle.

»Bin gleich fertig«, sagte ich unfreundlich. So viel weiß ja jeder Dödel, dass man einen PC nicht einfach so ausschalten darf. Da muss man erst auf dreiundsechzig Symbole klicken und die kleine Maus die Frage beantworten lassen, ob man wirklich aufhören will, bevor das Gerät sich selber den Strom wegnimmt. Nur leider wusste ich nicht, wie das gehen sollte.

»Nun komm doch, Calvin, du kannst doch Herrn Schnorrhammer nicht so lange warten lassen!«, sagte Frau Momma ungeduldig und damit gab sie mir die Chance.

»Okay, mach ich eben nachher weiter«, sagte ich und ließ den PC, wie er war. In der nächsten Stunde würde er jedem, der mein Zimmer betrat, verkünden, dass der Mathetyp ein A war.

Dieser Schnorrhammer und ich gingen ins Esszimmer und machten uns erst mal bekannt. Das heißt, Schnorrhammer machte sich bekannt. Er kriegte hier ja schließlich die Kohle.

»Dein Vater hat mich ausgesucht, weil ich ausgebildeter Mathelehrer bin«, sagte er und sah sich dreist in unseren teuer ausgestatteten Räumen um. Der sollte vielleicht erst mal üben, wie man sich bei Leuten wie uns benimmt. »Nur arbeitslos. Dein Vater zahlt mir 50 Mark die Stunde dafür, dass ich dich von der Fünf wegbringe. Wenn du es bis zur Drei schaffst, erhöht er auf sechzig. Also lass uns mal anfangen«, und er griff nach meinem Mathebuch – nach Calvins, ja, klar –, das Frau Momma freundlicherweise schon auf den Tisch gelegt hatte zusammen mit frisch gespitzten Stiften und einem Block.

»Hyperbel«, sagte der Mathefreak und dann legte er los. Er war sehr dynamisch. Nur legte sich das schnell.

»Nun pass mal auf, Junge«, sagte er nach einer Viertelstunde und ich hatte den Eindruck, ihm war nicht ganz klar, wer hier der Arbeitgeber war, »nun reden wir mal Klartext. Du hast keine Ahnung von nichts, right? Du verstehst von Mathe ungefähr so viel wie ein Kind in der vierten Klasse, right? Bei dir muss erst mal Grundlagenarbeit betrieben werden, auch right?«

Ich guckte ihn an und sagte nichts. Mir gefiel sein Ton einfach nicht. So kann einer vielleicht mit den Bottels reden; aber nicht mit den Prinzen.

In diesem Moment wurde die Zimmertür vorsichtig, ganz vorsichtig geöffnet.

»Vielleicht einen kleinen Kaffee?«, säuselte Frau Momma und trug behutsam eine Tasse und ein Tablett mit Sahnekännchen und Zuckertopf herein. »Und wie läuft es bisher?« Sie schenkte Herrn Schnorrhammer eins ihrer berühmten Lächeln; nur dass er es leider nicht erwidern konnte.

»Schlecht läuft es«, sagte er und nahm seinen Kaffee ohne jeden Dank. »Wenn Sie wollen, dass ich weitermache, sag ich jetzt mal so: Es ist mir ein Rätsel, wie dieser Junge bisher von der Schule mitgeschleift worden ist. Wenn wir den auf den Stand seiner Klasse bringen wollen, reichen nicht zwei Nachhilfestunden die Woche, da reicht auch nicht eine Stunde pro Tag. Der braucht jetzt erst mal einen Crashkurs, sagen wir zwei Stunden jeden Nachmittag, zwei Wochen lang. Danach seh ich dann, ob ich weitermache. So jedenfalls nicht.«

Frau Momma sackte in sich zusammen. »So schlimm?«, flüsterte sie. »Aber lieber Herr Schnorrhammer, ich bitte Sie doch – selbstverständlich sollen Sie alles so machen, wie Sie – Sie wissen am besten …!« Und sie sah so verzweifelt aus, dass es fast mein Herz gerührt hätte.

Schnorrhammer zuckte die Achseln. »Ich tu, was ich kann«, sagte er. »Oder besser: was Ihr Junge hier kann. Aber wenn ich sehe, dass es nichts bringt, mach ich nicht mehr weiter. Dann empfehle ich die Abschulung«, und er guckte Frau Momma so an, dass ich dachte, wow, der traut sich einiges.

»Machen Sie das ganz, wie Sie …«, flüsterte Frau Momma, und ich dachte, dass sie gleich anfangen würde zu heulen. »Ein Crashkurs. Ich sage meinem Mann Bescheid.«
Als Frau Momma gegangen war, beugte Schnorrhammer sich zu mir rüber.
»Nun hör mal gut zu«, sagte er. »Für mich ist das hier auch nicht lauter Joy und Happiness, damit das klar ist. Du kriegst jetzt eine Chance, die hast du nicht verdient. Du hast jahrelang rumgesessen und nichts getan. Wollen wir mal wetten, was du gedacht hast?«
Ich guckte ihm in die Augen, aber ich antwortete nicht. Darin hatte ich Übung.
»Du hast gedacht, ist doch scheißegal, Daddy hat Kohle genug!«, sagte der Schnorrhammer. »Hast du doch, oder? Aber Daddy kann auch mal Pleite gehen, mein Lieber, und dann siehst du plötzlich verdammt alt aus. Ganz abgesehen davon, dass es auch ein nettes Gefühl sein kann, wenn man selber was schafft, weißt du? Und darum legen wir jetzt los.«
Und das tat er und mir blieb gar keine Wahl als mitzumachen. Ich hatte immer gedacht, wenn Leute so ein Haus sehen wie unsers, Mann, dann halten sie sich ein bisschen zurück. Aber Fehlanzeige. Dieser Typ war ja geradezu dreist. Allerdings konnte er Mathe, das musste man schon sagen, und erklären konnte er auch. Als die Dreiviertelstunde um war, fühlte ich mich schon richtig gymnasial.
Schnorrhammer schob seinen Stuhl zurück. »Soll ich dir sagen, was ich von dir halte?«, fragte er. »Junge? Lieber nicht. Wenn ich sehe, was du hier alles in einer halben Stunde begriffen hast – du musst ja jahrelang stinkend faul gewesen sein! Gullymäßig stinkend!«

Ich zuckte die Achseln. Ich hätte fast gesagt, dass es heute Nachmittag ja auch beinahe Spaß gemacht hatte.

Als er zur Haustür ging, kam Frau Momma aus einer der vielen Türen und sah ihn bittend an. Zu fragen traute sie sich nicht.

»Intelligent genug ist er«, sagte der Schnorrhammer und war schon halb draußen. »Die Frage ist nur, ob er will.«

»Bis morgen!«, rief Frau Momma ihm traurig nach.

Ich ging schnell nach oben zu meinem PC. Die letzten paar Stunden wollte ich ausnutzen.

CALVIN

Die Idee mit dem Sonderangebot war nicht schlecht gewesen. Ich hatte mir ja gleich gedacht, dass sie in dieser Gegend auf so was standen.

»Nur 79 Mark!«, sagte ich. »Für eine *Levi's*! Ich fass es nicht!«

Tatjana sah mich an. »Und?«, sagte sie. »Wem nützt das? Wenn du die Knete nicht hast?«

Ich raschelte in meiner Tasche mit den Scheinen. »Kleinigkeit«, sagte ich.

Tatjana tippte sich gegen die Stirn. »79 Mark!«, sagte sie. »Nur damit *Levi's* draufsteht! Näää!«

Ich musste einen Augenblick überlegen, bevor ich verstand. Ich glaubte nämlich nicht, dass ich in meinem Leben schon mal eine Jeans zu 79 Mark getragen habe, da kriegt man ja nichts. Unter 125,– ist da nichts zu machen, eigentlich 150,–, und wer will schon mit irgendeinem No-Name-Teil in die Schule.

Aber bei Kevin war das vielleicht anders. Der hatte sonst vielleicht nicht so viele gute. Da war es doch ein Schnäppchen, wenn ich ihm die *Levi's* hier organisierte.

»Kommst du mit rein?«, fragte ich. »Gucken, ob sie sitzt?«

Tatjana guckte mich abschätzig an. »Für 79 Mark?«, sagte sie.

Ich probierte mein charmantestes Lächeln.

»Bitte!«, sagte ich. Da kann keine widerstehen.

Die Hose war echt nicht schlecht, *button-fly* und alles, da konnte keiner sehen, wie billig die gewesen war. Ich legte meine Scheine neben die Kasse und steckte das Wechselgeld zurück. Irgendwie war es ein total gutes Gefühl.

Tatjana hatte bisher nichts gesagt. Aber wenigstens war sie nicht weggegangen.

»Sitzt doch gut, oder?«, sagte ich. »Jetzt hab ich noch sieben Mark. Ich kauf uns ein Magnum«, und dann ging ich zum Supermarkt ohne zu gucken, ob Tatjana hinter mir herkam, und nahm zwei Eis aus der Truhe neben der Kasse. Jetzt war ich wieder fast ohne einen Pfennig.

»Ich weiß ja nicht, was mit dir los ist, Kevin«, sagte Tatjana, als sie neben mir mit dem Rücken an der Mauer lehnte und den Schokoladenüberzug abknisperte. »Echt jetzt. Das ganze gute Geld.«

Ich schnipste mit den Fingern. »Wie gewonnen, so zerronnen«, sagte ich großspurig. »Man muss das Leben genießen.«

Tatjana sah mich an, dass das Beben in mir drin gleich wieder Stärke 16,2 erreichte. San Francisco wäre nicht mehr zu retten gewesen. »Du bist so ein Idiot, Kevin«, sagte sie. »Du denkst ja nicht nach, weißt du. Weißt du, was ich haben will in meinem Leben?« Und sie wartete wirklich, bis ich den Kopf schüttelte, bevor sie weiterredete, genau als ob wir in einer Fernsehserie wären. Dann wäre hier die Stelle gewesen, an der sie mir gestanden hätte, dass sie AIDS hatte oder wenigstens Leukämie. Es war total unwirklich alles.

»Ich will ein großes Haus«, sagte Tatjana, »mit einem großen Garten. Und ein großes Auto, E-Klasse. Ich will mir Klamotten kaufen können, so viele ich will, und Reisen machen nach Florida, überall, wo Palmen sind. Ich will …«

Jetzt!, dachte mein Hirn. Sag es ihr, Calvin, los! Biete ihr an, was du hast! Eine einfachere Möglichkeit, das Beben in deinem Innern von ihr auf Normalpegel runterschrauben zu lassen, kriegst du niemals wieder.

»Ich mach meinen Abschluss«, sagte Tatjana und leckte einmal um ihr ganzes Eis herum. Das hätten sie an so einer dramatischen Stelle in einer Serie vielleicht nicht getan. »Und zwar gut, Kevin, das ist wichtig. Und dann guck ich, dass ich eine Stelle beim Arzt kriege«, und sie sah mich so an, dass ich begriff, sie wartete auf eine Antwort.

»Mhm, nicht schlecht«, murmelte ich. Ich hatte keine Ahnung, was an Ärzten so toll sein sollte, und es interessierte mich auch schlichtweg nicht. An dieser Stelle hätte ich mich enttarnen müssen, aber ich schaffte es einfach nicht. Bis jetzt hatte ich mich an meinem Eis festhalten können, aber jetzt war es zu Ende geschleckt und ich wusste, dass ich es keine zwei Sekunden länger neben ihr aushalten konnte ohne durchzudrehen. Ich ging einen Schritt zur Seite.

»Arzthelferin«, sagte Tatjana. »Das ist der Beruf, weißt du. Da lernst du Ärzte kennen und die Typen, die die Medikamente verkaufen, die verdienen auch nicht schlecht. Und Männer lernst du überhaupt da kennen, du kannst auf ihre Patientenkarte gucken, wer Privatpatient ist, dann weißt du, wer sich lohnt.« Sie schnipste ihren Eisstiel auf den Boden. »Aber mit Hauptschulabschluss wollen die Ärzte eigentlich nicht, ich hab schon gefragt«, sagte Tatjana. Ihre Stimme und ihre Bewegungen hatten eine fürchterliche Wirkung auf die Richterskala. »Darum brauch ich einen guten Abschluss. Dass sie mich nehmen. Und dann schaff ich es, das sage ich dir.«

Ich starrte sie an. Ich hatte keinerlei Zweifel, dass sie es schaffen würde. Ich konnte mir niemanden vorstellen, der es

eher schaffen würde als sie. Es gab keine anderen Frauen wie
sie, schon darum.

»Aber du musst dich mehr anstrengen, Kevin«, sagte Tatjana
mütterlich. Ich begriff nicht, wieso sie nicht merkte, was mit
mir los war. Ich hatte wirklich das Gefühl, man müsste auf
1000 Meter Entfernung sehen, wie bei mir das Adrenalin
durch die Adern tobte. Aber Tatjana hielt immer noch ihren
Serienvortrag.

»Du bist schließlich ein Typ, Kevin. Da ist es schwerer mit
dem Heiraten für Kohle. Da brauchst du einen richtig guten
Abschluss und darfst nicht immer Scheiße machen in der
Schule.« Sie guckte mich streng an. »Ist doch so, oder?«
Ich traute mich kaum zu nicken. Es war ein Segen, dass nie-
mand aus meiner Klasse ihren Vortrag hören konnte. Die
Frauen hätten sie glatt gesteinigt.

»Und du bist ja klug, Kevin, hat nur noch keiner gemerkt!«,
sagte Tatjana. »Heute Morgen in Mathe, da hat ja jeder ge-
staunt. Aber das Leben hast du noch nicht verstanden, weißt
du. Das sag ich dir jetzt.«
Ich versuchte Daddos intensive Zwerchfellatmung anzuwen-
den. Werde ruhig, Calvin, werde ruhig, sagte ich mir. It's now
or never. In einer Stunde steigst du in die U-Bahn und fährst
zurück und dann good-bye, Tatjana, forever. Außer, dir fällt
etwas ein. Und echt jetzt, der Regisseur dieser Billigproduk-
tion hat dir schließlich das Thema auf einem silbernen Tablett serviert. Mehr kann kein Mensch erwarten. Ein bisschen
musst du schon selber tun.

»Wenn ich dir jetzt was sage, Tatjana«, sagte ich und ich
merkte, dass meine Stimme kurz davor war zu zittern, »auch
wenn es komisch klingt: Glaubst du mir dann?«
Tatjanas Augen wurden schmal. »Was denn?«, sagte sie.

»Siehst du, du hast gar nicht richtig zugehört, hatte ich doch die ganze Zeit das Gefühl! Du hast doch nicht geklaut, oder?«

Ich lachte. Keine Ahnung, warum, aber irgendwie war ich erleichtert.

»Also, all die Sachen, die du dir wünschst«, sagte ich, und ich wusste, gleich würde sie zu mir kommen und ich würde meine Arme um sie schmeißen und San Francisco wäre gerettet, »die hab ich alle längst, Tatjana. Also für mich ist das alles …« Ich holte noch einmal Luft. »Ich bin eigentlich nämlich jemand ganz anders«, sagte ich.

Und leider hatte der Regisseur sich den Film doch nicht so vorgestellt wie ich.

Tatjana löste sich von der Mauer. Sie starrte mich wütend an.

»Dir ist doch ins Hirn geschissen, Kevin Bottel!«, sagte sie.

Dann ging sie über den Platz ohne sich noch einmal umzusehen.

KEVIN

Ich hatte meinen Text auf dem Monitor durch »rsch« vervoll-
ständigt und ihn mindestens zwanzigmal in verschiedenen
Schrifttypen und Farben ausgedruckt, und ich hatte gerade
damit angefangen, mich mit den Mal- und Zeichenumgebun-
gen vertraut zu machen, als es an meine Tür klopfte.
»Also, Sohn«, sagte Herr Daddo. Ich hatte ihn heute noch
überhaupt nicht gesehen, darum musste ich regelrecht überlegen, woher ich sein Gesicht kannte. Aber wenn einer
»Sohn« sagt, macht er es einem ja nicht allzu schwer.
»Momma hat mir berichtet«, sagte er und setzte sich auf das
Bett. Nur gerade so auf den äußersten Rand, dass es aussah,
als wäre er auf dem Sprung. »Das ist dann ja wohl eine mitt-
lere Katastrophe mit dir und Mathe.«
Ich guckte ihn nicht an. Wenn Calvin heute Abend zurückkam, würde er einiges aushalten müssen. Aber das war nicht
direkt mein Problem.
»Zwei Wochen lang jeden Tag zwei Stunden«, sagte Herr
Daddo. »Das ist ein Tausender. Und den kriegt der steuerfrei
und ich kann nicht mal Mehrwertsteuer absetzen.« Er
seufzte. »Danach will ich hören, dass du alles begriffen hast,
Sohn!«, sagte er. »Haben wir uns verstanden?«
Ich nickte. Eigentlich fand ich es ziemlich verblüffend, wie
cool dieser Typ blieb. Gerade hatte seine Frau ihn darüber
aufgeklärt, dass sein Sohn ihn in den kommenden zwei Wochen einen zusätzlichen Riesen nur für Mathe kosten würde,
und er wahrte noch immer die vornehme Form. Da konnte
man sich was abgucken.

»Und jetzt wüsste ich gerne«, sagte Herr Daddo, und nur daran, dass er mit den Fingern auf der Matratze ein kleines Percussion-Solo hinlegte, wahrscheinlich Heino oder irgendetwas ähnlich Fetziges, merkte man, dass er doch nicht so ruhig war, wie er tat, »was du mir vom *Nikkei* erzählen kannst, Sohn. Oder vom *Dow Jones*. Ja, erzähl mir vom *Dow Jones*.«

Ich starrte ihn an. Wirklich, es war schon alles kompliziert genug für mich, warum hatte Calvin da verschlampen müssen, mir von den Freunden zu erzählen, für die sein Vater sich interessierte? Nicky und Dow Jones? Und warum interessierte er sich für die beiden? Meine Handflächen wurden allmählich feucht.

»Na, Sohn?«, sagte Herr Daddo gnadenlos. »Ich wüsste gerne, ob du dich heute schon um deine Papiere gekümmert hast.«

Das brachte mich nun doch ins Grübeln. Natürlich war ich froh, dass sein Interesse an meinen Kumpels offenbar ebenso schnell verschwunden wie aufgetaucht war; trotzdem war ich über seine Sprunghaftigkeit ein bisschen verblüfft. Papiere, ja? Von Papieren war gestern Abend bei unserem Tausch jedenfalls auch nicht die Rede gewesen.

»Irgendwie hatte ich heute so wenig Zeit«, sagte ich vorsichtig. Das konnte Frau Momma ja glatt bestätigen. Friseur und Nachhilfe und alles – für irgendwelche Papiere war da wirklich keine Zeit mehr gewesen.

»Ja, Momma hat mir schon erzählt«, sagte Herr Daddo gnadenlos. »Aber jetzt sehe ich dich an deinem Rechner spielen. Da wäre ja vielleicht auch Zeit gewesen …«

»Nicht spielen!«, sagte ich schnell. Schließlich sollte Calvin bei seiner Rückkehr nicht nur Ärger haben. »Ich hab grad in den Handbüchern gelesen.«

»Das wäre das erste Mal!«, sagte Herr Daddo. »Aber selbst dann reicht es als Entschuldigung nicht aus, Sohn! Wie steht *BASF*? Sollten wir überlegen, ob wir nicht doch ein paar von den *Telekom* abstoßen? Was ist mit *VW*?«

»Tja«, sagte ich. Die Sonne fiel seitlich auf den Monitor und trotzdem schwebte kein einziges Stäubchen. Diese polnisch-russische Margareta war nicht nur schlau, sondern auch gründlich.

»Calvin!«, sagte Herr Daddo, und ich war verblüfft, wie sich einer, dem es eben noch nichts ausgemacht hatte, dass sein Sohn in Mathematik die Grenzen des Vorstellbaren an Dummheit gelassen überschritt, sich wegen irgendwelcher Papiere so erregen konnte. »Erst gestern hab ich dir gesagt ...«

Das fand ich nun endgültig unfair von Calvin. Wieso hatte er mir nichts davon gesagt, dass in diesem Haus gerade irgendwelche mysteriösen Papiergeschichten Zentralthema waren? Ich strampelte mich hier ab, um ihm seine Familie einigermaßen befriedet zu hinterlassen, und er ließ mich einfach ins Nichts fallen.

Ich teilte dem PC per Mausklick mit, dass ich genug von ihm hatte, und schaltete aus. »Wir können das doch noch mal in Ruhe besprechen«, sagte ich. Meine Armbanduhr zeigte halb sechs. Im Grunde lohnte es überhaupt nicht mehr. Aber nun wollte ich auch bis zum Letzten Calvin Prinz sein.

»In Ruhe?«, donnerte Herr Daddo. »Was soll denn da in Ruhe zu besprechen sein?«

»Daddo!«, sagte Frau Momma. »Der Junge hat sich heute wirklich angestrengt! Du kannst dich doch vielleicht noch mal mit ihm hinsetzen!«

Herr Daddo guckte sie an, als wolle er etwas sagen, dann

legte er mir stattdessen die Hand auf die Schulter. Er atmete dreimal tief ein, bevor er endlich sprach.

»Meinetwegen, Sohn«, sagte er und jetzt wirkte er schon deutlich gelassener. »Komm nach unten.«

Der Raum neben dem Esszimmer war offenbar sein Arbeitszimmer und vom Feinsten. Hier hätten sie jeden Tag *Derrick* drehen können, kein Problem, Schreibtisch mit Lederplatte und Bücherschränke mit Glas und alles picobello aufgeräumt.

»Setz dich«, sagte Herr Daddo. Aus dem Zeitungsständer nahm er eine Zeitung. »Also noch mal von vorne!«

Und dann fing er an mir Sachen zu erklären, die waren elchmäßig spannend. Nein, echt jetzt und kein Scheiß, das sollten sie uns mal in der Schule erzählen! Alles Aktien und so Kram und was das alles bedeutet und worauf man achten muss, wenn man welche hat. Das kann mir mal sehr nützlich sein später. Wer weiß, vielleicht werd ich Konzern.

Und er fand das selber auch total gut, das konnte man sehen; aber noch besser fand er, wie gut ich das fand, und er redete und redete und klopfte mir auf die Schulter und stellte mir Fragen, die ich mit links lächelnd beantworten konnte. Wenn einem das einer erklärt, sind Aktien wirklich einfach.

Herr Daddo lehnte sich zurück. »Sohn!«, sagte er und dabei sah er mich mit so einem Blick an, dass ich ein ganz komisches Gefühl kriegte. Gleich hängte er mir noch einen Orden um oder was.

»Darauf hab ich seit Jahren gewartet. Seit Jahren! Immer, wenn deine Mutter klagt, hab ich ihr gesagt: Warte mal ab! Der Junge wird. Ein Prinz bleibt immer ein Prinz. Irgendwann begreift der, worum es geht. Einen Prinz kannst du in der Wüste ohne Wasser aussetzen, der kommt immer nach

148

oben. Ein Prinz, Calvin, ein Prinz«, und er atmete schwer,
»der hat eine Nase fürs Geschäft. Wie du«, und er lehnte sich
zurück.
Ich merkte, wie ich rot wurde bis zu den Ohren. Lobt mich
ja auch nicht oft jemand, oder? Höchstens mal der Deutschtyp, weil ich so gerne Pferdebücher lese.
»Das unterscheidet uns nämlich von denen«, sagte Herr
Daddo und jetzt stand er auf, »die unten sind und unten
bleiben. Das ist was im Blut, Calvin, glaub mir. Ich bin hier
oben, wo ich bin, weil ich es mir erarbeitet habe. So wie du
es dir mal erarbeiten wirst, Sohn. Seit heute bin ich mir sicher.«
Ich konnte ihn echt nicht mehr angucken. Logisch weiß ich
schon immer, dass ich gut bin, klar. Nur hat das bisher sonst
keiner begriffen. Nicht so wie der hier jedenfalls.
»Und morgen gibt es den neuen Rechner«, sagte Daddo.
»Ich bestell ihn über die Firma. Wegen der Abschreibung,
Sohn«, und er zwinkerte mir zu.
»Ach nee, lieber nicht«, sagte ich schnell. Nun hatte ich das
eine Teil gerade begriffen, da sollte ich mich schon wieder
umstellen. »Der alte ist doch ganz okay! Für das, was ich
mache, reicht der doch auch!«
»Sohn!«, sagte Daddo. »Meinst du das ernst? Gleich glaub
ich, jetzt bist du erwachsen.« Er gönnte sich wieder drei
Atemzüge. »Du hast mich heute sehr glücklich gemacht.«
In diesem Moment klingelte das Telefon.
Und ich begriff plötzlich, dass ich Calvin Prinz seinen neuen
Rechner vermasselt hatte. Aber nun war es zu spät.

CALVIN

Natürlich könnte man jetzt länger über Tatjanas Ausdrucksweise reden. Sie hätte abwechslungsreicher sein können, keine Frage, und ihre Begriffe nicht so häufig aus dem Fäkalbereich nehmen. Aber Sprache hat absolut nichts mit inneren Beben zu tun. Meine Hormone jedenfalls ließen sich kein bisschen abschrecken.

Tatjana ging über den Platz und meine Festplatte stürzte ab. Auf Kevins Armbanduhr war es halb sechs. Dies war mein Abschied von Tatjana.

»Tatjana!«, brüllte ich. »Warte mal!«

Aber natürlich wartete sie nicht. Wenn sie eine gewesen wäre, die gewartet hätte, hätte sie ja niemals dieses Chaos in mir anrichten können.

»Oh, du Scheiße«, murmelte ich. Aber dass ich fluchte wie sie, half kein bisschen. Hinter dem türkischen Gemüseladen verschwand Tatjana zwischen den Häusern.

Okay, Calvin, sagte ich mir. Noch mal davongekommen. Eine, die vollkommen schamlos darüber redet, wie sie sich reiche Männer angeln will, Mann! Was sie unter reich versteht, das arme Kind. Sei froh, dass du gleich in der U-Bahn sitzt.

Aber die Hormone gehorchen dem Hirn nicht, das ist eine Lektion fürs Leben. Die Hormone sind die Hormone und das Hirn ist das Hirn, und wer der Boss ist, entscheidet sich von Fall zu Fall. Die Hormone jedenfalls waren nicht bereit sich so ohne weiteres zu unterwerfen.

Ich ging langsam nach Hause. Ich meine: zu Kevin nach Hause. Jetzt musste telefoniert werden, wie wir zurücktauschen wollten. Es mussten uns ja nicht unbedingt gleich alle doppelt sehen. O Schock: Kevin mal ausnahmsweise nicht allein zu Haus! So was kann bei einfacheren Gemütern schon leicht mal Verwirrung anrichten.

»Du siehst ja vielleicht aus!«, sagte Jacqueline, als sie mir die Tür aufmachte. Offenbar war sie gerade von ihrem Friseur zurückgekommen. Sie duftete noch immer wie eine ganze *Budnikowsky*-Filiale. »Irgendwas passiert?«

»Nee, alles okay«, sagte ich und ließ meine Plastiktüte auf den Boden fallen. Tatjana ging sie schließlich einen feuchten Keks an. »Ich hab mir eine *Levi's* gekauft.«

Jacqueline tippte sich gegen die Stirn. »Von was?«, fragte sie und war schon an der Tüte.

»*Wovon*«, sagte ich. »Vom Zeitungsgeld. Die war runtergesetzt auf die Hälfte.«

Jacqueline hielt die Hose in die Luft und inspizierte sie mit sachkundigem Blick. »Geil!«, sagte sie. »Total gut. Du hast wohl den Arsch offen, was? Vom Zeitungsgeld! Das gibt Hiebe.«

»Wieso nicht?«, sagte ich und schnappte ihr die Hose weg. »Ist schließlich mein Geld.«

Jacqueline zog den Mundwinkel hoch. »Na, da wird Mama ja staunen«, sagte sie. »Dass das neuerdings dein Geld ist«, und sie drückte auf die Fernbedienung. Auf dem Bildschirm erschienen nacheinander fünf verschiedene Serien, bis Jacqueline endlich bei VIVA war. »Sie muss das Telefongeld noch bezahlen.«

»Was?«, sagte ich, aber Jacqueline wiegte ihren Oberkörper schon im Takt der Musik. Und außerdem brauchte ich ihre Auskunft auch gar nicht mehr. So schwer war das schließlich nicht zu verstehen.

Kevin verdiente sich überhaupt nichts zum Taschengeld dazu. Die läppischen 86,40 musste er zu Hause abliefern, für das Telefon und vielleicht für die Fernsehgebühren. Und ich hatte mir eine *Levi's* gekauft.

»I can't help myself«, summte Jacqueline. In die Hitparade wäre sie mit ihrer Stimme nicht gekommen. »And I can't stop myself! I am feeling crazy!«

Das tat ich auch, aber hallo. Ich setzte mich zu Jacqueline aufs Sofa und versuchte mein Betriebssystem wieder klarzukriegen. Die Hormone hatten sich durch den Schock, dass ich Kevins Geld unerlaubterweise verschleudert hatte, ein bisschen zurückgezogen. Aber sie lagen heimtückisch auf der Lauer, bereit, jederzeit wieder zuzuschlagen. Schließlich konnte ich das Finanzproblem eigentlich locker bezwingen. Ich, Calvin. 86,40 konnte ich Kevin aus der Portokasse geben.

Mit den Hormonen war die Sache nicht ganz so einfach. Wenn man logisch nachdachte, gab es da überhaupt nur eine Lösung. Auch wenn es vielleicht ein bisschen unfair war, jetzt, wo ich gerade dafür gesorgt hatte, dass die Telekom diesem Haushalt vielleicht im nächsten Monat die Glasfaser abknipsen würde.

»Ich muss mal telefonieren«, sagte ich und schnappte mir den Apparat. Wenn ich auf dem Flur war, konnte Jacqueline nicht so leicht mithören.

Ich wählte unsere Nummer. Die Bettwäsche konnte ich schließlich wechseln und so gefährlich war dieser Ramon ja vielleicht gar nicht. Ein paar Tage mindestens musste es doch gehen.

»Prinz?«, sagte Momma am anderen Ende, und gerade rechtzeitig fiel mir ein, dass sie meine Stimme nicht erkennen durfte.

»Hallo, hier Bottel«, krächzte ich. »Kann ich bitte mal Kevin sprechen?«

»Wen willst du sprechen?«, fragte Mama misstrauisch.

»Hier ist Prinz.«

»Kevin – nee, nee, Calvin, sorry«, sagte ich schnell. Life can be difficult. »Ich hab – Calvin möchte ich sprechen.«

Aber ihr Misstrauen war noch längst nicht besiegt. Du meine Güte, ich kannte doch Momma!

»Bist du ein Klassenkamerad?«, fragte sie. »Ich glaube, ich hab deinen Namen noch nie gehört.«

»Ja, von Calvin«, sagte ich und merkte erschrocken, dass ich vergessen hatte zu krächzen. »Kann ich den mal sprechen?«

»Jetzt kommt mir deine Stimme auch irgendwie bekannt vor!«, sagte Momma und man konnte deutlich hören, dass ihr Misstrauen geschwunden war. »Ja, jetzt erinnere ich mich. Obwohl der Name ...«

O Momma, Momma!, dachte ich. Niemals würde Kevin auf meinen Vorschlag eingehen. Ein Tag hatte bestimmt gereicht. Er hatte Momma und Daddo kennen gelernt. Wieso sollte er noch länger die bottelsche Freiheit gegen den prinzlichen Überwachungsstaat tauschen wollen.

»Ja, Bottel?«, sagte es am anderen Ende.

»Prinz, du Blödmann!«, sagte ich. »Du bist Calvin Prinz!«

»Ja, Bottel, bist du das?«, sagte Kevin. Er war nicht blöde, das war deutlich. Jedenfalls hatte er eine ziemliche Reaktionsgeschwindigkeit.

»Ja, Bottel, ich bin das«, sagte ich. »Wie geht's? Antworte nicht, sie steht und lauscht. Sie lauscht immer, Bottel, auch wenn du sie nicht siehst. Vergiss nicht, dass du Calvin Prinz bist.«

»Ich vergess nie was«, sagte Kevin. »Okay, wo wollen wir uns treffen?«

»Das ist es ja gerade, Mann«, sagte ich. »Ich will gerade nicht. Nicht heute, meine ich. Noch nicht.«

»Hab ich dich jetzt richtig verstanden?«, fragte Kevin erschüttert. »Du willst unsere Verabredung platzen lassen?«

»Nur heute, Kevin, Mensch, gib mir nur noch ein paar Tage!«, sagte ich flehentlich. »Ich hab hier noch was zu erledigen!«

»Aber keinen Scheiß, oder?«, fragte Kevin misstrauisch. »Nicht, dass ich dann nachher komme und du ...«

»Nee, keinen Scheiß, ehrlich nicht!«, sagte ich. »Nur ungefähr eine Woche! Ich find's total gut hier.«

Am anderen Ende gab es eine Pause, dann schnaufte Kevin in den Hörer. »Ich glaub, du hast den Arsch offen«, sagte er, und da war er ja heute nicht der Erste. »Aber mir soll es recht sein. Vergiss nur die Pferdebücher nicht, okay? Das treibt Nisi zum Wahnsinn.«

»Längst erledigt«, sagte ich. »Ich hab ganz vergessen dir zu sagen, mein Vater will, dass ich jeden Tag die Börsenkurse ...«

»Längst erledigt«, sagte Kevin. »Wenn sonst nichts mehr ist ...«

»Nee, sonst ist nichts mehr«, sagte ich. »Ich melde mich dann. Oder du.«

»Ja, ciao«, sagte Kevin. Ich hörte, wie Momma im Hintergrund »Wer ist denn Nisi?« fragte, »Calvin, was ist denn da los?«, und da legte ich den Hörer auf. Gleich würde sie ihm garantiert einen Vortrag über ordinäre Sprache halten.

Für eine ganze Woche Kevin Bottel. Jetzt wollten wir doch mal sehen.

3. WAHRHEIT IST IMMER EIN RISIKO

CALVIN

Vielleicht hätte ich die ganze Sache nicht gemacht, wenn ich geahnt hätte, wie kompliziert es mit Tatjana werden würde. Aber so was weiß man ja nicht im Voraus, oder? Zuerst hatte ich gedacht, ich würde ihr einfach wie in den alten Filmen irgendein Geschenk vorbeibringen, Pralinen vielleicht, welche von denen, die so sinnlich auf der Zunge zerschmelzen; aber dann fiel mir ein, dass Tatjana bestimmt ihre Kalorien zählte, und da dachte ich lieber ganz romantisch an einen Strauß roter Rosen.

Nur dass ich dafür keine Kohle hatte, das war das Problem. Und ich wusste auch gar nicht, ob es in dieser Gegend überhaupt einen Blumenladen gab. Diese in PVC eingeschweißten Teile aus dem Supermarkt oder von der Tankstelle bringen es ja echt nicht.

Darum musste ich mir wieder neue Gedanken machen, und das war gar nicht so einfach bei einer wie Tatjana, die sich wegdrehte, sobald ich in ihre Nähe kam, und die höchstens mal »Hau ab, Bottel!« oder »Jemand ganz anders, ja?« zu mir sagte. Komischerweise war das meinen Hormonen ganz egal und sie rumorten fröhlich weiter in meinem Epizentrum. Man weiß ja, dass die Beben schließlich umso schrecklicher sind, je länger sie aufgeschoben werden.

Meine einzige Chance wäre vielleicht gewesen ihren mütterlichen Rat anzunehmen und in der Schule plötzlich mitzuarbeiten, als hätte ich eine tiefere Einsicht gehabt; aber dafür bin ich einfach nicht der Typ. Das bin ich auch zu Hause nie gewesen. Schule ist irgendwie nicht so mein Ding, wenn mir da Momma nicht immer so im Nacken säße und meine verschiedenen Nachhilfelehrer, hätte ich den Kram vielleicht längst geschmissen.

Darum hielt meine Begeisterung, alles ganz gut zu verstehen, auch nicht so lange an. Und unregelmäßige Flächen sind nun wirklich nicht so spannend, egal, ob man sich schon mal für Hyperbeln begeistert hat oder nicht. Wenn man wie ich die Entwicklung der Mathematik für einen Irrweg der Menschheit hält, verliert sie überall und in all ihren Erscheinungsformen schnell ihren Reiz.

Nur der Deutschtyp war immer noch begeistert von meiner Leseleidenschaft. Inzwischen schleppte er ungefragt jeden Tag ein neues Pferdebuch an und Nisi verbrachte ihre Nachmittage auf dem Bett und gab mir zwischendurch hastige kleine Zusammenfassungen mit Kommentaren wie: »Das ist doch toll, nicht, Kevi?« oder: »Möchtest du nicht auch mal in Island tölten, sag doch mal, Kevi!« Dann unterhielten wir uns ein paar Minuten lang nett über die Vorteile der verschiedenen Gangarten und ich fühlte mich schrecklich alt und wie ein Vater und wollte einfach nur aufpassen, dass niemand auf dieser Welt Nisi etwas tat. Als ich kleiner war, hab ich mal kurz einen Hamster gehabt, da hab ich mich genauso gefühlt. Aber nach einem Jahr ist der Hamster gestorben.

Manchmal redete Nisi auch von ihrem Geburtstag und dann schwoll mein Vatergefühl so an, dass ich mich aufgebläht fühlte wie ein Heißluftballon.

»Vielleicht nur eine kleine Feier, Kevi?«, sagte Nisi. »Nur mit Günay und Anja und Per? Wenn wir kein Kaffeetrinken machen?«

»Was willst du denn dann machen, Nis?«, sagte ich und lehnte mich gegen ihren Türrahmen. »Wenn es keine Gewinne gibt und kein Kaffeetrinken ...«

»Nur Geburtstag, Kevi, verstehst du das denn nicht«, sagte Nisi aufgeregt. »Nur so Geburtstag! Wir können uns doch ins Wohnzimmer setzen und Geburtstag feiern und Brause trinken und wir sagen herzlichen Glückwunsch und machen Topfschlagen ...«

»Und was ist unter dem Topf?«, fragte ich.

»... und spielen *Mein rechter, rechter Platz ist leer*!«, sagte Nisi. »Und wir haben unser schönstes Zeug an und sind ganz feierlich und ...«

»... und was ist unter dem Topf?«, fragte ich gnadenlos.

Nisi zuckte die Achseln. »Ist doch egal!«, sagte sie. »Nur feiern, ganz ohne was! Bitte, bitte, bitte, Kevi! Du kannst doch Mama fragen!«

Aber das war schon gar nicht mehr nötig.

»Ach nee, jetzt bin ich hier die Böse, was?«, sagte Mama und kam auf den Flur. »Jetzt bin ich die Böse, die Geburtstage verbietet, und der liebe gute Kevin muss sie überreden! Nur dass es ja nicht die gemeine Mama gewesen ist, die achtzig Mark Zeitungsgeld auf den Kopf gehauen hat, oder? Da hätten wir leicht zweimal Geburtstag von feiern können und jetzt drehen sie uns das Telefon ab!« Und sie schlug mit der flachen Hand wütend auf den Schuhschrank, der sowieso schon so aussah, als wolle er bei der erstbesten Gelegenheit in sich zusammenfallen. »Aber dafür hat Kevin ja jetzt eine *Lee*!«, schrie Mama. »Und Mama ist die Böse, die Geburtstage verbietet ...«

»*Levi's*«, sagte ich leise. Schreien ist so prolig, wenn Erwachsene es tun. »Es tut mir doch auch Leid, Mama! Kann Nisi nicht wirklich einfach so feiern, wie sie gesagt hat?«

Ich hatte von Kindergeburtstagen nicht so viel Ahnung. Nicht von solchen, wie Nisi sie feiern wollte, jedenfalls. Wir waren kegeln gegangen, als ich noch klein war, daran konnte ich mich erinnern, und Pony reiten und zum Abendessen dann immer zu *McDonald's*. Einmal hatten wir einen Zauberer gehabt und einmal einen Clown und einmal hatte Momma eine Firma engagiert, die versprach, die gesamte Feier pädagogisch-vergnüglich zu gestalten, und das war schrecklich gewesen. Wir waren schon neun oder so und die kamen uns da mit Kasperle.

»Kann Nisi nicht einfach so feiern!«, rief Mama. »Nur Brausetrinken im Wohnzimmer, was? Nur dass da dann drei Kinder mehr Brause trinken! Und außerdem gibt's bei uns jetzt sowieso nur noch Tee! Ist außerdem viel gesünder«, und jetzt holte sie so tief Luft, dass es mich an Daddo erinnerte. So groß waren die Unterschiede vielleicht gar nicht.

»Wir können auch mit Tee, Mama!«, rief Nisi schnell. »Das ist doch schön mit Tee, Mama, wenn wir dein schönes Geschirr dürfen! Darf ich, Mama, bitte, bitte darf ich?«

Aber ich hatte genauer hingehört.

»Wieso Tee?«, fragte ich vorsichtig. »Ist irgendwas passiert?«

Mama schmiss sich auf Nisis Bett. »Diese Scheißtypen!«, sagte sie. »Dann sagen sie immer, sie haben kein Geld mehr, und dabei fahren sie im Dritturlaub auf die Malediven! Aber ich weiß schon Bescheid!«

Ich starrte sie an. »Welche Scheißtypen?«, fragte ich. »Jemand, den ich kenne?«

»Ach, mit dieser Altbauvilla die!«, sagte Mama. »Wo ich dienstags und donnerstags geputzt habe! Und jetzt behaupten die plötzlich, sie haben keine Kohle mehr!« Sie lachte

böse und ich zuckte zusammen. »Schon das dritte Mal!«, rief
sie. »Schon das dritte Mal dieses Jahr, dass mir welche kün-
digen! Was mach ich denn falsch, kann mir das mal einer
sagen?«
Ich schüttelte den Kopf und Nisi saß regungslos.
»Ich weiß es auch nicht«, sagte Mama resigniert und zog an
ihrer Zigarette. »Ich putz mir die Haut von den Fingern.
Noch mehr geht eben nicht«, und sie nahm wieder einen
tiefen Zug.
Ich sah sie an. Die Dauerwelle und das Goldblond hatten
sich beide schon mindestens fünf Zentimeter vom Haaran-
satz entfernt. Darüber war ihr Haar glatt und fast schon
grau. Das T-Shirt mit der Glitzerstickerei war ein bisschen
hochgerutscht, weil es zu eng saß, und die Leggings hatte ein
wildes geometrisches Muster. Ich dachte, dass Momma auf
Margareta nie verzichtet hätte.
»Vielleicht solltest du mal …«, sagte ich vorsichtig. »Sag, du
willst eine weiße Schürze.«
»Was?«, fragte Mama verblüfft.
Sie musste mich ja für verrückt halten. »Das wollen die,
Mama!«, sagte ich beschwörend. »Eine Schürze und ein
Häubchen! Sag, du fühlst dich dann wohler! Und sag immer
gnädige Frau.«
»Bist du bescheuert oder was?«, rief Mama. »Ich bin doch
kein Dienstmädchen!«
»Das wollen die, Mama, glaub mir doch mal!«, sagte ich
aufgeregt. »Da reißen die sich um dich! Du kannst doch mal
probieren!«
Mama hatte ihre Zigarette ausgeraucht.
»Und für mein gutes Geld kauf ich mir Schürzen oder was?«,
sagte sie und drückte die Zigarette an der Schuhsohle aus.

»Wir sind doch nicht mehr im Mittelalter, Mann! Die Vor-
letzten wollten sogar, dass ich sie duze!«

Ich schüttelte den Kopf. »Lass dich da auf nichts ein, um
Himmels willen!«, sagte ich. »Ich weiß, wovon ich rede! Sag
gnädige Frau.«

Ich nahm ihr die Zigarette ab, um sie zum Müll zu tragen.
»Und die Schürze müssen sie dir stellen, dafür haben die
genug Geld«, sagte ich. »Hör auf deinen Sohn.«

Mama streckte sich lang auf Nisis Bett aus. »Ach, Scheiße«,
sagte sie. »Sogar das würde ich machen, echt.«

Ich zwinkerte ihr zu. »Das Leben ist Showbusiness«, sagte
ich. »Gib ihnen eine ordentliche Vorstellung. Und zu Hause
lachen wir dann.«

Aber Mama lachte jetzt schon. »Du bist wirklich witzig,
Kevi«, sagte sie. »Seit ein paar Tagen bist du so anders. Ich
glaub, du wirst langsam erwachsen«, und da wusste ich, dass
sie über meinen Vorschlag nachdenken würde.

Blieb nur noch Nisi.

»Und du kriegst deine Geburtstagsfeier, Nis«, sagte ich.
»Versprochen und geschworen. Mir fällt schon was ein.«

Was eigentlich gelogen war. Mir war längst etwas eingefallen.

KEVIN

Es war wirklich nicht in meinen Schädel gegangen, dass dieser Herzensbubi tatsächlich noch länger unser Katzen-Pipi-Treppenhaus gegen diese Fernsehkulisse tauschen wollte; aber wenn das wirklich sein Wunsch war, wollte ich ihm nicht im Wege stehen. Wahrscheinlich wird man automatisch ein bisschen angeschrammt, wenn man jahrelang zu viel Kohle hat. Vielleicht wollte er Studien treiben, wie es sich lebt bei den armen Leuten, damit er später netten Gesprächsstoff bei diesen *In-Feten* hatte. »Ach nein, wissen Sie, Liebste, damals, als ich für einige Zeit in die Rolle so eines Unterschichtjungen geschlüpft war ...« Und so weiter, kotz und würg.

Aber mir konnte das schließlich egal sein. Solange ich hier jeden Tag seine drei PCs bedienen konnte, durfte er gerne mit Ramon das Zimmer teilen.

Das einzig Schwierige für mich war die Schule. Ich meine, nicht die Stunden, die waren ganz okay. Schließlich kriegte ich ja meinen Crashkurs in Mathe, da konnte ich mich nach drei Tagen echt schon das erste Mal von alleine melden, weil ich eine Aufgabe rechnen konnte, und der gefährliche Mathe-Mensch stand daneben, schlug sich mit dem Tafel-Lineal gegen die Hosennaht und schüttelte den Kopf.

»Kaum zu glauben, Prinz«, sagte er, nachdem die Gleichung fix und fertig dastand. Meine Handflächen waren ganz feucht.

»Offenbar hat der liebe Gott dir außer reichen Eltern also doch auch noch einen rudimentären Hirnrest mitgegeben.

Und dabei wollte ich für morgen eigentlich um eine Entschuldigung wegen deines lang andauernden Stimmbandkatarrs bitten. Aber das hat sich dann ja wohl erledigt«, und ich nickte demütig und schlich zu meinem Platz und ertrug die verblüfften Blicke meines Nachbarn ohne zu zwinkern.

In Englisch brauchte ich den Stimmbandkatarr auch nicht mehr so dringend, weil Momma da jeden Tag mit mir übte; und langsam kriegte ich echt Lust auch in den anderen Fächern klarzukommen.

»Ist irgendwas los, Prinz?«, fragte mein Nachbar in der Pause, nachdem die Deutschlehrerin am Ende der Stunde zu mir gekommen war um mir zu sagen, wie sehr sie sich freute, dass ich plötzlich so engagiert mitmachte. »Haben sie dir eine Hirnwäsche verpasst?«

Ich zuckte gelangweilt die Achseln. »Ist doch trostlos, wenn man immer nur rumsitzt«, sagte ich. »Bockt doch viel mehr, wenn man mitmacht.«

Der Nachbar starrte mich an, dann tippte er sich gegen die Stirn. »Bockt doch viel mehr!«, sagte er. »Danke schön, danke schön. Kommst du heute Nachmittag mit bladen?«

Ich schüttelte den Kopf. »Keine Zeit«, sagte ich. Das war vielleicht das einzige Problem, dass ich nichts mit den Kumpels machen konnte. Die hätten doch sofort was gemerkt, da war ich ganz sicher. Die sind nicht so blöd wie die Erwachsenen, die glauben einem nicht, dass man sich ratz-fatz ganz plötzlich verändert. Und dann wäre ja auch aufgefallen, dass ich von tausend Sachen keine Ahnung hatte, über die sie redeten, oder Leute nicht kannte oder zum Beispiel nicht bladen konnte. Für gute Inlines hatte Mama natürlich nie die Kohle gehabt und solche Schrottteile aus dem Spielzeugregal für 59 Mark kommen mir nicht unter die Füße.

»Das ist jetzt schon das dritte Mal!«, sagte der Nachbar.
»Übst du jetzt jeden Nachmittag oder wie? Damit die Lehrer
und Mami ihre Freude haben?«
»Kann dir doch egal sein«, sagte ich und von da an war das
Klima zwischen uns in etwa arktisch. Wahrscheinlich guckte
er sich schon nach einem neuen Platz um.
Zu Hause hätte ich da schon schlucken müssen, echt jetzt;
aber hier war es mir eigentlich egal. In ein paar Tagen würde
ich diese Typen sowieso nicht mehr sehen. Das glaubt doch
kein Mensch, dass die noch mit mir hätten befreundet sein
wollen, wenn ich wieder Kevin Bottel war. Da konnte ich
auch gleich auf sie pfeifen.
Und für meine Nachmittage wusste ich sowieso was Besse-
res. Ich hätte ja das Hirn amputiert haben müssen, wenn ich
da nicht die Rechner ausgenutzt hätte. Die waren wirklich
total gut. Ich wühlte mich durch so ziemlich alle Handbücher, die irgendwo lagen, und dann ging ich ins Internet.
Das kostet logisch mehr als ein paar Pfennige, aber dieser
Daddo war trotzdem begeistert.
»Da siehst du mal, Momma«, sagte er, nachdem er mindestens eine Viertelstunde hinter mir gestanden und mir am PC
zugeguckt hatte. »Die Spiele-Zeit ist vorbei. Jetzt hat es sich
also doch gelohnt, dass wir dem Jungen immer die Rechner
gekauft haben. Wenn das alles so weitergeht, erklär ich dir
bald mal die Firma.«
»Ja, geil«, sagte ich, und Momma seufzte und sagte, dass es
schon auffällig wäre, wie sich parallel zur Verbesserung meiner schulischen Leistungen mein Wortschatz verschlechtert
hätte.
»Vulgär!«, sagte Momma und schüttelte sich.
Das war vielleicht das zweite Problem, dass ich mich manch-

mal gar nicht traute zu reden, weil jede Wette wieder irgend-was nicht vornehm genug war. Aber solche Sachen lernt man schneller als Mathe. Und außerdem zwinkerte Daddo mir dann immer nur zu.

»Was so ein richtiger Lausejunge ist, was, Calvin?«, sagte er dann und schlug mir auf die Schulter. »Der muss auch mal über die Stränge schlagen. Hast du dich heute um deine Papiere gekümmert?«

Und das hatte ich logisch immer getan. Im Internet kommt man da an tausend Informationen, und wenn man ein bisschen clever ist, kann man durch Kaufen und Verkaufen ziemlich viel Kohle machen. Aber noch besser ist es, wenn man auch Zeitung liest. Weil solche Sachen wie Leitzinserhöhungen und Putschversuche nämlich auch eine Rolle spielen, da kann eine Firma ganz schnell in die Miesen kommen oder auch nicht. Ich hätte nie gedacht, dass ich mal Zeitung lesen würde.

»Der Junge ist ein geborener Finanzmensch!«, sagte Daddo, als ich ihm nach ein paar Tagen erklärte, warum wir ein Aktienpaket unbedingt abstoßen sollten, und darauf war er selber noch nicht gekommen. »Wenn der nicht die Firma übernehmen würde – der müsste an die Börse gehen! Meine Güte, Sohn! Und das in deinem Alter!« Und jeder konnte sehen, dass er so stolz auf mich war, dass er mich am liebsten in irgendeiner Fernsehshow vorgeführt hätte.

»Ein Prinz bleibt immer ein Prinz«, sagte ich bescheiden, weil ich das inzwischen gelernt hatte.

»Ein Prinz bleibt immer ein Prinz«, sagte Daddo und gab mir einen mittleren Schein. »Daran besteht überhaupt kein Zweifel.«

Das war der Abend, an dem ich darum bat, auch in Französisch Nachhilfe zu kriegen. Es ist irgendwie totale Scheiße, wenn man in einem Fach überhaupt nicht weiß, worum es geht. Schließlich hatte ich nie Französisch gehabt.

Da hätten sie am liebsten mit Champagner auf mich angestoßen.

Nur bei einer Sache musste ich sie enttäuschen. Gleich am Sonntag packte Momma mich in ihren Jaguar und stellte eine schwere Sporttasche dazu.

»Das kannst du doch nicht vergessen haben, Calvin!«, sagte sie. »Schließlich ist heute Hockey-Turnier!«

Ich lehnte mich in meinen Sitz. Im Fernsehen hab ich ein paar Mal Eishockey geguckt, aber so richtig ist das auch nicht mein Ding. Ich bin mehr für Fußball.

Die Fahrt dauerte über eine Stunde, dann stiegen wir aus. Momma begrüßte überschwänglich ein paar Damen und Herren, die auch so aussahen, als ob ihre Söhne und Töchter niemals »geil« sagten, und ich erkannte unter den Mannschaftskameraden meinen Banknachbarn aus der Klasse.

»Hi«, sagte ich.

Aber das blieb auch der einzige Lichtblick an diesem Tag. Zum Glück zieht man sich ja gemeinsam um, da konnte ich abgucken, wo all diese Polster und Stopfteile hingehören. Am Ende sah ich aus wie das *Michelin*-Männchen und ich hoffte inbrünstig, dass ich nur Torwart sein musste. Das hätte ich vielleicht noch geschafft. Sich hinschmeißen und aufpassen, dass der Miniball nicht ins Tor kommt, kann schließlich jeder. Dazu braucht man keine Regeln zu kennen. Am liebsten hätte ich ein kleines Gebet nach oben geschickt.

Aber man kann wahrscheinlich nicht erwarten, dass immer alles zum Besten läuft. »Wir spielen doch hier nicht Golf, Calvin!«, schrie der Trainer. »Was ist denn mit dir los heute?«

Und weil die anderen mich auch alle so komisch anguckten, preschte ich einfach los, und wenn mir einer in die Quere kam, gab's auf die Nase. Dieser Schläger hat ja auch Vorteile. Darum wurde ich ermahnt und schließlich musste ich auf die Bank. Ich hätte lieber etwas von Rheuma erzählen sollen vorhin. Aber nun war es zu spät.

»Was ist denn los mit dir, Calvin?«, flüsterte Momma. »Du kannst doch hier nicht wüten wie ein Berserker!«

»Ich find Hockey Scheiße«, sagte ich verstockt.

Momma sah mich flehentlich an. »Scheiße sollst du nicht so oft sagen, Calvin!«, sagte sie. »Und das ist noch lange kein Grund sich hier so aufzuführen.«

»Ich will nach Hause«, sagte ich.

Und dabei blieb ich dann auch. Irgendwo muss man sich schließlich mal durchsetzen.

Die Rückfahrt verlief ziemlich schweigsam. »So was Peinliches!«, murmelte Momma. »Wie stehen wir denn jetzt da! Erst schlägst du alle zusammen und danach die totale Verweigerung!« Sie nahm sich ein Taschentuch. »Du weißt, dass wir auch im Hockeyclub sind wegen der Feste! Wegen der Leute, die man kennen lernt! Und wenn du jetzt nicht mehr mitmachst...«

»Scheiß drauf«, sagte ich. Ich hatte in der letzten Zeit genügend Leute kennen gelernt.

CALVIN

Es ist nicht immer toll, Calvin Prinz zu sein, und nach meinen bisherigen Erfahrungen hat es auch seine Schattenseiten, wenn man Kevin Bottel ist; aber Calvin Prinz als Kevin Bottel, das ist gar nicht so schlecht.

Zum Beispiel Nisis Geburtstag. Warum sollte ich da nicht wie die gute Fee bei Walt Disney meine goldenen Taler verschleudern? Ich brauchte nur Kevin anzurufen, dann konnten wir einen Treffpunkt abmachen und er ließ mir ein paar Scheine rüberwachsen. Ich wurde ganz high bei dem Gedanken.

Nur leider hatte da Calvin Prinz gedacht.

»Sag mal, wo ist eigentlich das Telefon?«, fragte ich Jacqueline, als sie nach der Arbeit auf dem Sofa lag und wie immer VIVA guckte. »Ich seh das schon seit Tagen nicht mehr.«

Jacqueline hob den Kopf. »Na wo wohl«, sagte sie und griff nach ihrer Tasse ohne hinzugucken.

Das war nicht direkt eine große Hilfe.

»Das frag ich ja dich!«, sagte ich wütend. »Ich such das schon ewig!«

»Eben deshalb, mein kleiner Liebling«, sagte Jacqueline. »Weil sie weiß, dass du ewig telefonierst. Sie hat dir schon tausendmal gesagt, das wird zu teuer.«

»Und jetzt hat sie es abgemeldet?«, sagte ich erschüttert.

Jacqueline tippte sich gegen die Stirn. »Nur wieder im Kleiderschrank«, sagte sie.

Das erschwerte mein Vorhaben. Schließlich hatte ich für den Schrank keinen Schlüssel. Und auch wenn das jetzt albern klingt: Ich hatte ja nicht mal Geld für eine Zelle. Das Zeitungsgeld war weg und Taschengeld hatte Mama mir deshalb nicht gegeben. Schließlich hätte ich ja eigentlich sogar noch ein verlorenes Schlüsselbund bezahlen müssen.

»Leihst du mir mal was, Jacqueline?«, sagte ich bittend. »Dass ich kurz mal telefonieren kann?«

Jacqueline schaltete die Fernbedienung lauter. »Bin ich blöd?«, sagte sie. »Dass ich das nie wieder sehe?«

Jetzt hätte ich ihr natürlich einen Vortrag halten können, dass ich ihr nach meiner Heimkehr alles mit gigantischen Zinsen zurückzahlen würde und dass hier ihre Chance lag, auf einen Schlag durch Wucher reich zu werden; aber sie hätte mir sowieso nicht geglaubt.

»Willst du gar nicht zum Training?«, fragte Jacqueline. »Letzte Woche warst du auch schon nicht.«

Ich ging aus dem Zimmer ohne ihr eine Antwort zu geben.

»Ich hab immer gedacht, Fußball ist dein Leben?«, schrie Jacqueline hinter mir her. Da wusste ich, was von mir erwartet wurde.

Der Fußballplatz lag hinter der Schule. Die Hausaufgaben hatte ich sowieso nicht begriffen und vielleicht war in der Mannschaft ja einer, der mir eine Mark zum Telefonieren leihen konnte. Warum soll es nicht verschiedene Gründe geben, zum Fußball zu gehen.

Ich hatte keinerlei Zweifel, dass ich eine Bereicherung für jede Mannschaft war. Als ich noch zur Grundschule ging, hatte ich auch Fußball gespielt und einmal hatte der Trainer mich sogar als Libero eingesetzt. Aber als ich dann aufs Gymnasium gekommen war, hatte ich den Verein streichen müssen. Ich musste nachmittags einfach zu viel lernen und auf Tennis und Hockey konnten wir schließlich nicht verzichten.

Trotzdem war ich überzeugt, dass ich es denen heute zeigen würde. Fußball verlernt man nicht, das ist wie Radfahren. Da steigen auch alte Omis aufs Rad, die seit ihrer Pubertät nur noch Auto gefahren sind, und sie kippen trotzdem nicht um, obwohl die Zuschauer grölend am Straßenrand stehen und gierig darauf lauern.

Meine halbe Klasse war schon auf dem Platz und lief sich warm und der Trainer winkte mich zu sich.

»Na, Bottel?«, sagte er streng. »Wo warst du denn letzte Woche? Unentschuldigt fehlen ist nicht bei mir!«

»Ich hatte mir den Fuß verstaucht«, sagte ich und guckte ihm direkt in die Augen. »Haben die andern das nicht erzählt?«

»Das müssen die völlig übersehen haben«, sagte der Trainer ironisch. »Zwei Extrarunden, Bottel.«

Ich lief zwei Runden um den Sportplatz, während die anderen schon ihre Aufwärmübungen machten.

Erst bei der zweiten Runde sah ich sie am Zaun, und mein Herz beschloss zwei Takte zuzulegen. Ich wusste, dass sich gleich wieder mein Epizentrum melden würde.

Heute Morgen in der Mathestunde hatte ich Tatjana einen Brief geschrieben. Ich fand, dass ich lange genug gewartet hatte; aber sie tat noch immer so, als ob sie mich nicht kannte. Darum hatte ich mich entschlossen ihr zu schreiben und ihr mitzuteilen, dass es blöde von mir gewesen war, ihr neulich etwas vorzulügen. In Wirklichkeit war ich natürlich überhaupt niemand anders. In Wirklichkeit war ich Kevin Bottel.

Ich hatte den Zettel durch sämtliche Tischreihen bis zu ihr geschleust und zwei Minuten später war er ungeöffnet zurückgekommen. »Sie will ihn nicht lesen!«, hatte mein Hintermann geflüstert, aber ich war ja nicht blöde. Beim Zusammenfalten hatte sie nicht genau die alten Kniffe getroffen.

Und jetzt stand sie also am Zaun und guckte zu und sie
konnte mir tausendmal erzählen, dass ihr Besuch jemand
anderem galt. Ich spielte, als wäre ich Bierhoff.
Oder ich versuchte es wenigstens. »Das kann doch wohl
nicht angehen!«, brüllte der Trainer. »Bottel, spielst du mit
Streckverband? Das kann ja wohl nicht sein, dass du nach
einer Woche Training spielst wie in der E!«
»Sorry, Meister«, murmelte ich. So blöde hatte ich mich
schon lange nicht mehr gefühlt. Fußball ist doch nicht wie
Radfahren.
Ich humpelte zum Rand. »Mir tut mein Fuß noch weh«,
sagte ich. »Geht doch noch nicht, sorry. Ich dachte, es wäre
schon okay.«
Der Trainer guckte mich forschend an. »Also doch den Fuß
verstaucht«, sagte er. »Na ja, tut mir Leid. Aber dann setz
lieber noch ein bisschen aus. Und komm erst wieder, wenn
du in Ordnung bist. So bringt das ja nichts.«
Ich humpelte vom Platz, als ob ich Tatjana nicht bemerkt
hätte. Allmählich kannte ich die Spielregeln.
Und ich hatte Recht gehabt.
»Ist was mit deinem Fuß?«, fragte Tatjana, als sie mich ein-
geholt hatte. Dazu gehörte auch nicht viel. Langsam genug
humpelte ich ja.
»Nur verstaucht«, sagte ich ohne sie anzugucken. Nur vorsichtig sein jetzt, Bottel, sagte ich mir. Nichts Falsches sagen.
Und lass sie um Himmels willen nichts von deinen Hormonen mitkriegen.
»Musst du essigsaure Tonerde nehmen, das hilft«, sagte Tatjana. »Das nehmen wir immer.«
Jetzt hätte ich ja cool tun und sie fragen können, ob sie mir
dann den Verband anlegen würde, aber so schlau war ich

inzwischen, dass ich wusste: So was würde sie sich nicht gefallen lassen.

»War blöde von mir neulich«, sagte ich darum. Es war anstrengend, das Humpeln nicht zu vergessen, und außerdem war ich mir nicht ganz sicher, welchen Fuß ich mir nun überhaupt verstaucht hatte. »Das war einfach nur, weil … Ich fand das nicht so gut, wie du vom Heiraten geredet hast.«

Tatjana ging neben mir her und manchmal streifte der Ärmel ihrer Jacke den Ärmel meiner Jacke. Wenigstens hatte sie nicht nur ein T-Shirt an.

»Geht dich ja wohl nichts an«, sagte Tatjana. Aber der Tonfall war beinahe fragend.

Ich nahm mir Daddos drei Atemzüge.

»Find ich doch«, sagte ich. Und das war ja schon einiges.

Tatjana blieb stehen. »Scheiße im Hirn, sag ich doch immer, Kevin«, sagte sie und dann hob sie ihre rechte Hand und tippte mir mit dem Zeigefinger ganz sanft gegen die Wange und da war mein Fuß nicht mehr verstaucht. »Scheiße im Hirn«, sagte Tatjana.

Und ganz egal, was von Zungenküssen erzählt wird: Bei mir reicht schon ein Zeigefinger an der Wange, um das ganz große Beben auszulösen.

»Selber Scheiße im Hirn«, sagte ich und dann wollte ich Tatjana zu mir herziehen und gucken, wie es weiterging.

Aber leider hatte ich Familie.

»Lasst euch nicht stören, ihr beiden«, sagte Mama und zog ihren Schlüssel aus der Tasche. »Fünf Sekunden hat Kevin noch Zeit, dann muss er rauf. Hallo, Tatjana.«

Das beste Mittel gegen intensive Beben sind plötzlich auftauchende Mütter, egal, ob sie echt oder getauscht sind.

»Bis morgen, Tatjana«, sagte ich.

Tatjana hob wieder ihren Zeigefinger und diesmal strich sie mir von der Stirn bis zum Kinn. »Bis morgen, Kevin«, sagte sie.

Mama hatte die Tür aufgeschlossen. »Los, los, hoch, Kevin Bottel!«, sagte sie. »Für die Liebe ist morgen noch Zeit«, und sie scheuchte mich ins Haus.

Und ich hatte meiner Mutter ein Leben lang gehorcht. Ich atmete tief und kam ohne noch einmal Luft zu holen bis zur Wohnungstür.

KEVIN

Zum Glück erzählte eine Freundin Momma am Telefon, mein Verhalten beim Hockey wäre ein typisches Zeichen der Pubertät. Nicht, dass ich gelauscht hätte. Ich kam nur zufällig vorbei.

»Na gut, Calvin«, sagte Momma und seufzte. »Meinetwegen kannst du mit Hockey aufhören. Aber ich bin sicher, dass du in ein, zwei Jahren doch wieder spielen willst. Wenn diese schreckliche Pubertät vorbei ist.«

»Kann alles sein«, sagte ich ohne von meiner Computerzeitschrift hochzugucken. Es ist total gut, wenn man Geld genug hat, um sich zu kaufen, was man will. Ich hatte mir am Kiosk alles mitgenommen, was es über PCs gab, und das war besser als Video.

»Nun lass den Jungen schon in Ruhe, Momma«, sagte Daddo, der sein tägliches Gespräch mit mir über Aktien schon hinter sich gebracht hatte. Inzwischen sprachen wir nicht mehr nur über meine, sondern auch über seine Papiere, und wenn er sich an das hielt, was ich ihm vorgeschlagen hatte, konnte das Gespräch heute ihm locker ein bis zwei Tausender bringen.

»Insgesamt ist die Entwicklung doch positiv, oder? Diese sprunghafte Entwicklung in der Schule! Das gewachsene Verantwortungsbewusstsein! Die ernsthafte Beschäftigung mit Informatik!« Und er gab ihr einen hingehauchten Kuss auf die Stirn.

Ich versteh nicht, wieso zwei Leute, die schon so alt und runzlig sind, sich immer noch beschmusen können. Wieso hat das bei meinen Alten nicht geklappt? Wieso haben die nicht mal fünf Jahre durchgehalten? Das konnte mich richtig sauer machen.

»Aber dieses Ausrasten und diese pampigen Antworten«, sagte Momma und lehnte sich an Daddos Schulter. »Das muss er sich ganz schnell wieder abgewöhnen. Und man macht sich ja auch richtig Sorgen! Wenn der Junge sich jetzt immer so in seinem Zimmer vergräbt!«

Sie hatte keine Ahnung, dass in der kommenden Nacht etwas passieren würde, was diese Sorgen geradezu ins Unermessliche steigern würde. Ich übrigens auch nicht.

Dafür kriegte ich später am Nachmittag ehrlich den Schock meines Lebens. Ich war noch kurz zum Bahnhof gefahren um zu gucken, ob die vielleicht noch eine ältere Nummer von *PC-Today* am Kiosk hatten, weil ich mich für die CD-ROM interessierte, die dazugehörte; und auf dem Rückweg kam sie mir entgegen.

Zuerst war ich mir gar nicht sicher, ob sie es war. Die eigene Mutter nicht erkennen, Mann! Aber sie hatte ganz kurze, glatte Haare und blond war sie auch nicht mehr. Und sie hatte auch keine enge Leggings an. Irgendwie, als ob sie sich direkt für die Gegend zurechtgemacht hätte.

Aber ihr Gang war unverkennbar, ihr Gang und ihre Figur, und als ich näher kam, auch ihr Gesicht. Auch die Jacke natürlich und die Tasche. Auf der anderen Straßenseite kam mir auf dem Bürgersteig Mama entgegen.

Einen Augenblick setzte mein Herz aus. Hatte sie rausgekriegt, dass Calvin nicht ich war? War sie hergekommen um mich zu holen? Hatte sie womöglich, während ich unterwegs war, schon bei Momma und Daddo geklingelt und war mit Hohn und Spott vom Grundstück gewiesen worden?

Aber dies war ja kein Kino, dies war das Leben. Dass Mama mir entgegenkam, musste andere Gründe haben.

Und dann sah ich auch, dass sie nichts von mir gewusst hatte; niemals wäre sie so erschrocken gewesen, als sie mich sah, wenn sie damit gerechnet hätte, mich hier zu treffen.

»Kevin?«, rief Mama und blieb stehen wie vom Donner gerührt. »Kevin, was machst du denn hier?«

Ich stieg vom Fahrrad. So kann es eben gehen. Jetzt war unser Tausch also geplatzt, einfach so, ganz ungeplant und zu einem Zeitpunkt, den wir nicht selber bestimmt hatten. Durch einen Zufall. Dies war eben kein Kino, dies war das Leben.

Mama würde mich fragen, woher ich die teuren Klamotten hatte und das Fahrrad, und dann musste ich alles erzählen. Aber ich wollte nicht. Nein, wirklich, ich wollte nicht.

Daddo hatte ein Aktienpaket von so einer japanischen Elektronikfirma, da musste man zurzeit ein Auge drauf haben. Da konnte sich stündlich was tun. Und in Französisch hatte ich gerade die Vergangenheitsform begriffen und am PC kam ich auch erst richtig in Gang. Ich war nicht bereit, das alles jetzt schon aufzugeben. Man soll sein Leben nicht dem Zufall überlassen.

»Bitte?«, sagte ich darum und guckte sie an und ich hatte keine Ahnung gehabt, dass ich so gucken konnte; so von oben herab und mit einem Blick, der dem anderen zeigt: *Bleib, wo du hingehörst. Und in meine Welt jedenfalls nicht.*

»Kevin!«, sagte Mama, aber ich sah, dass sie schon ein bisschen verunsichert war. »Was soll denn der Blödsinn?«

Ich holte tief Luft, dann verwies ich meine Mutter an den Platz, an den sie gehörte. »Kennen wir uns?«, sagte ich in einem Ton, zu dem ein Monokel gepasst hätte; und weil ich keins hatte, hob ich zum ersten Mal in meinem Leben die rechte Braue.

Mama guckte verwirrt. »Kevin?«, sagte sie mit einer ganz kleinen Stimme. Dann strafften sich ihre Schultern. »Nee, tut mir Leid, ich hab dich verwechselt«, sagte sie, und jetzt klang sie wieder normal und sogar so, als ob sie Spaß an der Sache gefunden hätte. »Nee, jetzt seh ich schon selber, dass du das nicht bist! So groß ist die Ähnlichkeit gar nicht«, und sie lachte und schüttelte den Kopf. »Wenn man genau hinguckt, nicht. Schade, du hättest sonst fast einen Doppelgänger«, und dann guckte sie auf ihre Uhr und fing an zu laufen. Wahrscheinlich wollte sie die Bahn nicht verpassen.

Ich sah ihr nach. Man muss wirklich Calvin Prinz geworden sein, wenn einen die eigene Mutter nicht mehr erkennt.

CALVIN

»Nee, das müsst ihr euch mal vorstellen!«, rief Mama, als sie oben im Flur ihre Tasche abgestellt hatte. Jacqueline lag noch immer mit VIVA auf dem Sofa und in meinem Zimmer rumorte Ramon. »Du hast einen Doppelgänger, Kevi!«
Ich lehnte mich gegen die Wand. Ruhig bleiben, Calvin, ganz ruhig, sagte ich mir. Wenn sie von Doppelgänger redet, ahnt sie überhaupt nichts. Sie denkt noch immer, du bist Kevin, so what?
»Nee, wirklich, total ähnlich, glaubt man gar nicht!«, sagte Mama und ließ sich neben Jacqueline aufs Sofa fallen. Dann schaltete sie den Ton ab. »So ein hochnäsiger Typ, Klamotten und Mountainbike und alles, aber im Gesicht – total ähnlich!«
»Ach, Quatsch, Mama!«, sagte ich und versuchte zu lachen. »Das gibt's doch gar nicht.«
»Wenn ich es doch sage!«, rief Mama. »Ich komm da von dieser Putzstelle, alles *gnädige Frau* und *wenn Sie es wünschen, gnädige Frau*, und die, du, Kevin! Total abgefahren darauf! Also zuerst sagt sie so: *Aber ich bitte Sie, das ist doch nicht nötig!* Aber ich denk, wie du gesagt hast, *das Leben ist Showbusiness,* und ich sag: *Bitte, gnädige Frau, es ist mir lieber so. Sie sind die gnädige Frau und ich bin die Hilfe und mir ist es lieber so, gnädige Frau.* Lacht sie ein bisschen, verlegen, weißt du, und sagt: *Na gut, wenn Sie es selber so wollen!* Und ich sag: *Ja, das möchte ich, gnädige Frau.* Hat sie mir also die Schürze gegeben, ich hatte ja *weiß* gesagt, Häubchen hatte sie keins, und ich bin da rumgewirbelt und

hab mich beeumelt. *Wenn Sie mir vielleicht noch mal zeigen könnten, was ich als Nächstes tun soll, gnädige Frau?* Am Schluss hat sie gesagt, dass sie sehr zufrieden ist wegen meiner Gewissenhaftigkeit und so und ob ich nicht vielleicht noch einen zweiten Nachmittag die Woche freihätte für sie.« Mama schlug mit beiden Händen aufs Sofa. »Ich hab gesagt, vielleicht lässt sich da was schieben. Was sagt ihr nun?«

»Du wolltest was von Kevins Doppelgänger erzählen«, sagte Jacqueline unfreundlich. Man konnte sehen, dass sie Mama die Fernbedienung am liebsten weggenommen hätte, um den Ton wieder zurückzuholen. »Hattest du gesagt.«

»Ach so, Mensch, ja!«, rief Mama. »Also gut, ich geh da zum Bahnhof und da kommt also dieser Typ auf dem Fahrrad. Ich ruf: *Kevin!* Weil, ich war ja total verdutzt, könnt ihr euch ja denken. Was macht Kevin denn hier? und alles. Hält der also an, sagt: *Bitte?* In so einem Ton, also – nee, Kevi, sei man froh, dass du nicht so einer bist. Da kriegt man ja das Grausen bei so einem eiskalten Kerl.«

»Und der hat total ausgesehen wie Kevin?«, fragte Jacqueline. »Nee, oder? Bisschen Ähnlichkeit vielleicht. Du übertreibst.«

»Wenn ich es doch sage!«, rief Mama. »Total!! Auf den ersten Blick jedenfalls. Aber wenn man dann genauer hingeguckt hat – so was Arrogantes, brrr!, so was Hochnäsiges, wie so 'n lebender Toter. Nee, Kevi, wirklich!« Und sie versuchte mich zu sich heranzuziehen.

»Ach, ich glaub, du hast nicht genau geguckt«, sagte ich. Aber in der Wohnzimmertür stand Nisi und starrte mich nachdenklich an. Und ich dachte an den Geburtstag und dass es heute Nacht sein musste. Es wäre natürlich besser gewesen, wenn ich Kevin vorher angerufen hätte; aber ich war mir ziemlich sicher, dass ich auch so ins Haus kommen würde.

Kein Mensch kümmerte sich darum, als ich kurz vor Mitternacht aus der Wohnung ging. Jacqueline und Mama schliefen und Nisi schlief sowieso; und nachdem er den ganzen Nachmittag zu Hause rumgemotzt hatte, war auch Ramon verschwunden. Ich zog leise die Wohnungstür hinter mir zu.

Ich war sicher, dass sie um diese Zeit in der Bahn nicht kontrollieren würden, deshalb kam ich am Ziel ganz entspannt aus dem Bahnhof. Zwei Männer gingen aus der erleuchteten Vorhalle zu ihren Autos auf dem Park-and-ride-Platz und der Wind fuhr durch die Kronen der Bäume. Ein Busch mit Blüten, die noch in der Dunkelheit leuchteten, duftete nach Sommer und ich musste einen Augenblick stehen bleiben. Ich hatte früher nie gemerkt, dass es bei uns in der Gegend überhaupt nach irgendwas roch. Bald würde ich hier wieder Calvin Prinz sein.

Aber noch nicht heute Nacht. Heute Nacht war nur Kevin Bottel unterwegs, um für seine kleine Schwester den Geburtstag zu organisieren.

Ich wusste, wie ich in unseren Garten kam, ohne dass die Bewegungsmelder reagierten; nicht, dass es viel ausgemacht hätte. Wenn Momma und Daddo die Jalousien unten hatten, schliefen sie auch weiter, wenn die Strahler aufleuchteten.

Ich schlich mich zur Rückseite und fühlte mich wie Wolf aus *Wolfs Revier* oder wie dieser uralte *007*, total entspannt im Herzen der Gefahr. Unter meinem Fenster blieb ich stehen.

»Kevin, he, Kevin!«, flüsterte ich und versuchte durch die Zähne zu pfeifen. Aber Bottel hatte einen tiefen Schlaf. Wenigstens hatte er die Jalousien nicht runtergelassen, darum konnte ich mit kleinen Zweigen gegen die Scheiben schmeißen. Offensichtlich nahm er sich gerade eine REM-Schlaf-Phase. Ich hatte das Gefühl, dass meine Füße den Boden mindestens zehn Zentimeter tief eingedellt hatten, bevor oben endlich ein Bett knarrte. Ich konnte nur hoffen, dass es Kevins war.

Als Kevin das Fenster öffnete, sah er ziemlich panisch aus. »Hallo?«, rief er in die Dunkelheit. »Ist da einer?« Er hatte den Hockeyschläger in der Hand, und weil ich nicht wusste, ob er ihn nur zum Draufschlagen oder auch als Schleuderge-schoss verwenden wollte, verzögerte sich meine Reaktion. »Leise, Bottel, du weckst doch alle auf!«, flüsterte ich. »Ich bin's, ich komm jetzt mal hoch.«

»Calvin?«, flüsterte Kevin. »Mann, ich fass es nicht! Warum hast du denn nicht vorher angerufen?«

Ich zog mich an der Regenrinne zum Fenstersims und bei den letzten fünfzig Zentimetern half er mir. »Komm rein«, sagte er völlig blödsinnig, als ob ich die Absicht gehabt hätte, vor meinem eigenen Zimmer die Nacht auf dem Sims zu verbrin-gen. »Das war doch nicht abgesprochen, Mann! Wieso rufst du nicht an?«

»Weil das Telefon im Kleiderschrank ist, Blödmann«, sagte ich. Mein Zimmer sah aus wie immer, nur dass zwischen den PC-Tischen Stapel von Zeitschriften lagen. »Wie ich sehe, geht es dir gut.«

»Ich kann nicht klagen«, sagte Kevin. Er sah anders aus als bei unserem Meeting auf dem Hafenklo, obwohl ich nicht sagen konnte, wie. Seine Haare standen jetzt in der Nacht wirr durcheinander und er hatte immer noch mein Gesicht. Aber trotzdem sah er anders aus, wirklich völlig anders. »Hat sie wieder kein Geld für die Rechnung?«, fragte er. »Hat Jacqueline wieder zu viel telefoniert, was?«

Ich sah keinen Grund, ihm von der *Levi's* und dem Zeitungsgeld zu erzählen. »Sag nicht, du hockst hier stündlich am
Computer«, sagte ich.

Kevin winkte mich zu sich ans Bett. »Na ja, stündlich«, sagte
er. »Aber ich fänd's Scheiße, wenn wir jetzt – da sind noch
ein paar Sachen bei euren Papieren unklar und ich weiß jetzt,
wie man das lösen kann.«

»Na, obergeil«, sagte ich und ließ mich auf mein Bett plump-
sen. Es knarrte immer noch. Seit Jahren wollten Momma
und Daddo mir ein neues kaufen, aber ich hätte mich wie im
Hotel gefühlt, wenn ich nachts aufgewacht wäre und um
mich herum hätte Totenstille geherrscht. Wenn ich mich
nachts drehte, musste es knarren. »Ist Daddo nicht total neben sich vor Begeisterung?«

»Er versteht nicht so furchtbar viel davon«, sagte der er-
staunliche Kevin Bottel. »Nur so eben das Nötigste. Ich versuch grade, ihm den Kram auf die Reihe zu bringen.«

»Oh, yeah?«, sagte ich. Irgendwie war ich genervt. Verstand
nicht so viel davon, ja? Daddo, ja? Da musste ein Bottel
kommen, um unsere Papiere auf die Reihe zu bringen, ja?
Der war wohl größenwahnsinnig geworden. Der hatte wohl
ganz vergessen, wer er war.

Aber das hatte er offenbar doch nicht. »Wie geht es Nisi?«,
fragte er und schloss das Fenster. Dann kam er zu mir aufs
Bett. »Will sie immer noch so viele Bücher?«

»Nis?«, sagte ich. »Ja, will sie. Kriegt sie auch, übrigens.
Dein Deutschlehrer würde mich am liebsten täglich küssen.
Wegen Nis bin ich übrigens hier, Mann. Ich will gar nicht
bleiben, du kannst ganz beruhigt sein. Bring du ruhig erst
mal den Papierkram auf die Reihe.«

»Willst du nicht?«, fragte Bottel verblüfft. »Du willst gar

nicht bleiben?« Und jetzt sah er aus, als ob er daran zweifelte, dass ich jemals mit den anderen zusammen von den Bäumen gestiegen war.

»Ich hab bei dir auch noch was zu erledigen«, sagte ich und fühlte Tatjanas Finger auf meiner Wange. »Keine Ahnung, wie lange ich noch brauche. Aber jetzt bin ich erst mal hier, weil...«

In diesem Augenblick hörte ich die Schritte. Vielleicht hatten wir nicht leise genug gesprochen oder vielleicht waren auch meine Stöckchen und Steinchen zu auffällig gewesen, keine Ahnung; jedenfalls näherten sich über den langen Korridor meinem Zimmer Schritte.

»Geh unters Bett!«, flüsterte Bottel und war mit einem Sprung unter der Decke. »Mach, mach!«

Als sich die Zimmertür öffnete, lag ich unter dem Lattenrost und versuchte lautlos zu atmen. Es ist nur jedem zu empfehlen, bei der Anschaffung von Betten darauf zu achten, dass sie hoch genug sind, um im Notfall einem Flüchtling Asyl zu gewähren.

»Calvin?«, flüsterte Momma. Durch den Türspalt hinter ihr fiel ein schmaler Lichtbalken ins Zimmer, aber das Bett erreichte er nicht. »Ist irgendetwas nicht in Ordnung, Calvin?« Der so Umsorgte wälzte sich in seinen Laken und stöhnte. »Je serai, tu seras, il sera«, stöhnte er. »Wenn der DAX um zwei Punkte fällt...«

»Calvin!«, rief Momma und war mit einem Satz am Bett. Ihre rosa Nachtpantöffelchen ragten mit ihren Spitzen in mein Quartier und die Federpuschelchen auf den Zehen hätten mich fast an der Nase gekitzelt. Jetzt wurde es endgültig Slapstick, meine Damen und Herren. »Calvin, du hast einen Alptraum! Wach auf, Junge, es ist alles in Ord nung!« Und an ihren Beinen konnte ich sehen, dass sie sich jetzt über ihn beugte. Wahrscheinlich rüttelte sie Kevin an den Schultern.

»Wie? Was?«, rief Kevin und der Lattenrost bog sich knarrend durch, dass ich dachte, er würde mich in den Boden quetschen. Ganz so dramatisch hätte mein Double die Aufwachszene vielleicht doch nicht gestalten müssen.

»Ist ja alles in Ordnung, Calvin!«, flüsterte Momma. »Schlaf wieder ein! Du bist einfach überanstrengt in der letzten Zeit. Dieses ständige Arbeiten ist einfach zu viel.«

»Schlaf gut«, murmelte Kevin und dem Lattenrost nach zu urteilen schmiss er sich jetzt zurück auf die Kissen. Ein bisschen mehr Rücksicht auf den Gast unter seinem Bett wäre vielleicht doch angesagt gewesen.

»Ja, schlaf gut, Calvin«, flüsterte Momma auch und dann entfernten sich die Puschelchen von meiner Nase. Ich spürte etwas wie einen Stich in der Brust. Sie war vielleicht eine ziemlich dumme Frau, das hatte ich eigentlich immer gewusst, und ich hatte versäumt, ihr verschiedene Dinge beizubringen. Aber das konnte man schließlich noch nachholen. Irgendwie nämlich war sie doch auch ganz wunderbar lieb. Gar nicht so viel anders als Nisi.

»Mann, Meister!«, flüsterte ich, als Calvin sich fast lautlos vom Bett auf den Teppich hatte sinken lassen. »Das war knapp.«

»Sie wäre gestorben!«, sagte Kevin. »Natürlich liebt sie ihren Sohn! Aber will sie ihn deshalb gleich doppelt?«

Ich lachte leise. »Es ist wegen Nisis Geburtstag«, sagte ich. »Ich brauch Kohle von dir, Bottel. Und dann muss ich auch noch auf dem Dachboden stöbern.«

»Auf unserem Dachboden?«, fragte Kevin verblüfft.

»Auf *unserem* Dachboden«, sagte ich. Vielleicht sollte hier doch das eine oder andere klargestellt werden. »Genau. Da sind noch Kisten mit Kinderkram von mir. Vielleicht finde ich da was für Nisi.«

»Gratulier ihr von mir«, sagte Bottel, aber dann begriff er wohl selber, dass das Blödsinn war. »Wie viel brauchst du? Ich hab, glaub ich, ungefähr vierhundert in der Kassette.«

»*Ich* hab vierhundert in der Kassette«, sagte ich. »Das reicht locker.« Dann holte ich den Schlüssel aus der schwarzen Blumenvase, in der Bottel ihn offenbar auch schon gefunden hatte. »Das Kind kriegt ein rauschendes Fest.«

Kevin guckte skeptisch. »Und wie willst du das erklären?«, fragte er. »Wo plötzlich die Knete herkommt?«

Über solche Kleinigkeiten machte ich mir keine Gedanken. »Comes time, comes bike«, sagte ich und tippte mir an die Stirn. »Ciao, Bottel. Ich geh suchen.«

Als ich kleiner war, bin ich manchmal auch gerne auf dem Dachboden gewesen, weil er so schön anders war als ein richtiges Zimmer: nichts, was zusammenpasst, nur Kisten und alte Möbel und abgestellte Bilder mit Wolldecken darüber. Weil Momma viel von Ordnung hält, waren alle Kisten beschriftet.

Ich fand einen Riesenbären, der so gut wie nicht benutzt aussah, und eine Kiste mit *Lego* und das *Playmobil*-Krankenhaus. Wenn ich für mein Geld jetzt noch ein paar Bücher kaufte, war das für Nisi bestimmt ein schöner Geburtstagstisch.

Aber vor den Erfolg haben die Götter offenbar den Schock gesetzt. In der Gestalt meiner Mutter.

»Calvin!«, rief Momma, als ich schon fast an der Treppe zum Erdgeschoss war. »Ich hab doch gehört, dass du ...«

Aber da war ich schon an ihr vorbeigerannt und in mein Zimmer gesprintet, bevor sie bemerken konnte, dass ich in fremden Klamotten durchs Haus tobte.

»Platz da, Bottel!«, zischte ich und sprang zu ihm unter die Bettdecke. Der Klomann mit den schmutzigen Gedanken hätte sich gefreut. *Legos* und *Playmobil*-Männer waren auf dem Teppich verteilt und der große Bär glotzte verwirrt auf die Zimmertür. Jetzt konnte nur noch Beten helfen.

»Nein, Daddo, ich sag es dir doch!«, rief Momma aufgeregt im Flur. »Er hat Alpträume! Und jetzt läuft er mit Kuscheltieren durchs Haus! Das Kind ist ja völlig überfordert!« Dann waren sie im Zimmer.

»Da siehst du es!«, sagte Momma erschüttert und zeigte auf den Spielzeugwirrwarr auf dem Boden. »Das ist doch nicht mehr normal!«

Ich hatte die Bettdecke bis zum Hals gezogen und hoffte, dass Kevin hinter mir unter der Decke sich nicht rühren würde. Wahrscheinlich würde Momma dann einen Herzschlag kriegen.

»Tatsächlich«, murmelte Daddo. »Tatsächlich, das ist ja wirklich ...« Dann kam er zu mir ans Bett. »Calvin!«, sagte er flehend. »Was ist denn los mit dir, Junge?«

Ich sah an ihm vorbei.

Merkte er denn gar nicht, dass ich nicht der war, den er meinte? Erkannte er nicht, dass ich ein Lügner war, ein Betrüger, ein Hochstapler? »Ich träum schon die ganze Nacht so was Blödes«, flüsterte ich.

Daddo sah auf den Kuschelbären am Boden. »Nun schlaf erst mal wieder, Sohn«, sagte er traurig. »Aber ich denke, da müssen wir ...« Er legte mir seine Hand auf die Stirn. »Schlaf gut, mein Junge.«

»Schlaf gut, Daddo«, murmelte ich und schloss die Augen.
Die Gefahr war vorbei.
Nur dass ich jetzt den ganzen Spielkram für Nisi nicht mitnehmen konnte. Sonst hätte Kevin morgen früh einiges zu
erklären gehabt. Und zu erklären würde er morgen sowieso
schon einiges haben.

KEVIN

Nachdem Calvin verschwunden war, versuchte ich erst mal, meine Birne wieder klarzukriegen. An Schlaf war sowieso nicht zu denken, aber Licht anschalten und an den Rechner gehen konnte ich logisch auch nicht. Dazu hatten Momma und Daddo eben viel zu geschockt ausgesehen. Die saßen doch jetzt jede Wette senkrecht in ihren Betten und lauerten auf jedes Geräusch von mir, und ich wollte sowieso lieber gar nicht darüber nachdenken, welche Pläne sie da für ihren gestressten Sohn wälzten. Darum schloss ich die Augen und dachte an Calvin und seinen Volkstheater-Auftritt unter meinem Fenster. Hätte nur noch gefehlt, dass er gejodelt hätte. Calvin, Mann! Den hätte ich ja fast – wenn der nicht immer noch so ausgesehen hätte wie ich, ich hätte den nicht wieder erkannt. Also, wenn der am Tag hier bei uns durch die Straßen gegangen wäre, da hätte doch jeder gleich gewusst: Der Typ ist nicht von hier.

Und irgendwie musste der auch Schaden an der Birne genommen haben. Sonst will doch einer, der dieses Zimmer haben könnte, nicht freiwillig noch länger die Stinkbude mit Ramon teilen. Diese herzerweichende Geschichte mit Nisis Geburtstagsfeier trieb einem natürlich fast die Tränen der Rührung in die Augen, aber dafür leb ich schon zu lange im Dschungel, um noch zu glauben, dass einer freiwillig auf Gut und Geld verzichtet, nur um einem kleinen Mädchen einen schönen Geburtstag zu bereiten. Da steckte hundertprozentig mehr dahinter, aber hundertpro. Und keine Ahnung, was.

Als ich am nächsten Morgen zum Frühstück kam, sah Momma aus, als hätte sie geheult. Vielleicht hatte sie auch nur die ganze Nacht nicht mehr geschlafen, keine Ahnung. Jedenfalls hatte sie gesichtsmäßig mindestens hundert Jahre zugelegt, und das ist ja schon eine ganze Menge, wenn eine Dame sowieso das Rentenalter fast erreicht hat.

»Alles in Ordnung, Calvin, Liebes?«, sagte sie und versuchte zu gucken wie immer. Aber hinter ihrem Blick war so was Besonderes, als ob sie die ganze Zeit darauf wartete, dass ich gleich auf dem Tisch steppen würde.

Ich musste sie aber leider enttäuschen.

Wenn ich schlau gewesen wäre, hätte ihr Gesicht mich skeptisch machen müssen, aber so lange war ich ja noch nicht Gast in dieser Familie. Darum war ich auch ziemlich verblüfft, als sie mittags zusammen im Wohnzimmer saßen, Momma und Daddo gemeinsam auf dem englischen Sofa, und Daddo hielt Mommas Hand zwischen seinen beiden.

»Setz dich, Calvin«, sagte Daddo und lächelte Momma aufmunternd zu.

Nun kommt Daddo ja manchmal mittags nach Hause, das hatte ich schon mitgekriegt, vielleicht einfach, weil er Margaretas Küche so schätzt. Aber dass er da rumturtelnd mit Momma auf dem Sofa saß, war bisher noch nicht vorgekommen. Mir schwante nichts Gutes.

»Wir haben heute die Mathenoten besprochen«, sagte ich darum schnell. »Meine Fünf ist weg, hat er gesagt. Er begreift zwar nicht, wie sich jemand in so kurzer Zeit vom Saulus zum Paulus wandeln kann, aber aufgrund meiner Mitarbeit und meines offensichtlich hohen Kenntnisstandes in der letzten Zeit kann er mir im Zeugnis guten Gewissens keine Fünf mehr geben. Vier mit Tendenz nach oben.«

Ich starrte Daddo erwartungsvoll an. Ich hatte gedacht, er würde mir nun um den Hals fallen und mir einen Schein zustecken oder mich sogar zu sich in sein Arbeitszimmer zerren, um mir zur Belohnung die Bilanzen offen zu legen; aber stattdessen lächelte er nur müde.

»Schön, Calvin, wir freuen uns«, sagte Daddo, aber er war kaum zu verstehen. Weil nämlich Momma gleichzeitig redete, und das haute mich nun wirklich um.

»Du solltest dich doch nicht so anstrengen, Calvin!«, sagte sie. »Mein Gott, Junge, du solltest dich doch nicht so ...« Daddo tätschelte ihr die Schenkel. »Calvin, Folgendes«, sagte er, und da wurde Momma still und ich begriff, jetzt würde es kommen.

»Wir haben uns in der letzten Zeit sehr über dich gefreut, Calvin«, sagte Daddo. »Dein Arbeitseifer und dein Interesse für geschäftliche Fragen haben mich, wie du weißt, begeistert, aber nicht erstaunt. Ich hätte längst damit gerechnet, ein Prinz bleibt immer ein Prinz. Aber nach den Vorfällen der vergangenen Nacht ...«

»Calvin!«, rief Momma dazwischen und Daddo nahm das Tätscheln wieder auf.

»... sind wir uns einig, Momma und ich, dass es für dich offenbar alles zu viel war. Du hast dich zu schnell verändert, Calvin, von einem Tag zum anderen. Das verkraftet ein junger Mensch nicht so leicht. Du hast zu viel gearbeitet. Und jetzt zeigt sich eben ...«

»Du musst dir keine Sorgen machen, Calvin!«, rief Momma. »Das kriegen wir alles wieder hin!«

Daddos Hand tätschelte kräftiger. »Ich habe heute Morgen einen Psychologen angerufen«, sagte er. »Wir sind uns einig, Momma und ich ...«

»Du hast ja viel zu viel getan, Calvin!«, rief Momma. »Darum diese Alpträume! Und dass du dir nachts im Schlaf sogar Kuscheltiere holst ...«

»Sehnsucht nach der heilen Welt der Kindheit«, sagte Daddo und nickte. »Der Fachbegriff ist Regression. Das kriegen wir alles wieder hin.«

»Du sehnst dich nach der Zeit vor deiner Veränderung zurück, Calvin!«, rief Momma. »Unbewusst! Ich hab doch immer diese Bücher gelesen, über Erziehung und alles, über Psychologie ...«

»Das Spielzeug ist einfach Symbol der heilen Kinderwelt, Calvin«, sagte Daddo. »Das kriegen wir alles wieder hin. Ich hab meine Beziehungen spielen lassen. Du hast schon einen Termin beim Psychologen.«

»Ich bin doch nicht bescheuert!«, sagte ich. »Nur weil ich nachts vielleicht mal ...«

Daddo machte eine Gebärde wie ein Feldherr. Ich war still.

»Da ist nichts zu beschönigen, Sohn, du bist überanstrengt«, sagte er. »Und wir haben uns überlegt, was getan werden kann. Auf deine Mathenachhilfe können wir nicht verzichten, das ist eindeutig, auf Englisch und Französisch auch nicht. Und die Rechner würde ich dir nur ungern streichen, obwohl du da meiner Meinung nach ziemlich viel Zeit und Kraft ...«

»Nee, oder?«, schrie ich. Dann konnte ich ja genauso gut gleich nach Hause zurück.

»Nein, nein, ich will ja auch gar nicht!«, sagte Daddo beruhigend. »Das zukünftige Potential, das da liegt, wollen wir ja nicht verschenken. Aber das heißt, Sohn, das heißt ...«

»Und die Schule können wir ja auch nicht streichen!«, rief Momma dazwischen.

»... dass dein Alltag so bleiben muss, wie er nun mal ist. Auch wenn er dich zurzeit überfordert. Und darum soll ein Psychologe ...«

»Hockey haben wir schon gestrichen!«, rief Momma. »Also Hockey ist ja schon mal weg!«

»Ein Psychologe muss sich darum kümmern, dass du wieder auf die Beine kommst!«, sagte Daddo. »Das kriegen wir alles wieder hin.«

»Die Termine haben wir ja frei!«, sagte Momma und jetzt sah sie zum ersten Mal ganz glücklich aus. »Wo doch Hockey jetzt wegfällt!«

Ich starrte sie an. Wenn Calvin mich letzte Nacht nicht um eine Verlängerung gebeten hätte, hätte ich ihn heute angerufen um zurückzutauschen, aber hundertpro. Obwohl ich ihn wahrscheinlich sowieso nicht erreicht hätte. Bestimmt war das Telefon noch immer im Schrank.

CALVIN

Am nächsten Tag ging ich mit Tatjana einkaufen. Ich hatte ja geahnt, dass sie meine Geburtstagspläne gut finden würde, aber ich hatte nicht damit gerechnet, dass sie gleichzeitig so misstrauisch war.

»Vierhundert Mark?«, sagte sie mit diesem Akzent, der meine Synapsen wieder feuern ließ, als wären sie im Krieg, und sie zog ihre Hand aus meiner. Das war, als ich sie in der Pause hinter der Turnhalle in meine Pläne für die Gestaltung von Nisis Geburtstag eingeweiht hatte. »Woher sind die, Kevin, das möchte ich wissen!« Und sie sah mich so streng an, dass die Kontinentalplatten sich schon wieder auf einen größeren Befreiungsschlag vorbereiteten.

»Alles in Ordnung, Tatjana, ich schwör's dir«, sagte ich eindringlich. »Ich kann's dir nur nicht erklären! Aber so in einer Woche vielleicht und dann wirst du sehen ...«

Die Schulglocke läutete das Ende der Pause ein. »Schwörst du, dass es nicht gestohlen ist?«, sagte Tatjana streng. »Und nichts Unrechtes, überhaupt nichts dabei?«

»Ich schwöre«, sagte ich und hob meine rechte Hand.

»Bei der Heiligen Mutter Gottes?«, sagte Tatjana, und ich überlegte, ob ich ihr erklären sollte, dass ich mit der nicht so viel am Hut hatte.

»Bei der Heiligen Mutter Gottes«, sagte ich.

»Dann will ich dir helfen«, sagte Tatjana und gab mir ihre Hand zurück.

Darum liefen wir am Nachmittag gemeinsam durch die Kaufhäuser der Innenstadt, um Nisis Geschenke zu beschaf-

fen. Ich hatte überlegt, ob bei vierhundert Mark Guthaben
nicht vielleicht auch das Geld für eine U-Bahn-Karte für Tatjana und mich abgezweigt werden konnte, aber dann fand
ich es doch sinnvoller angelegt, wenn ich Mama die 86,40
Zeitungsgeld gab und gleich noch einen Fünfziger für die
Telekom dazulegte. Wer konnte denn sagen, ob ich nicht
wieder irgendwann einmal dringend bei Kevin würde anrufen müssen; und einen Schlüssel für den Kleiderschrank hatte
ich immer noch nirgends auftreiben können.

»Also woher ist das?«, fragte Mama und drehte die Scheine
zwischen den Fingern, als übertrügen sie irgendeine anste-
ckende Krankheit. Sie war wirklich kein bisschen weniger
misstrauisch als Tatjana. »Fang bloß nicht so an wie dein
großer Bruder, das sag ich dir aber!«

»Glaubst du mir, wenn ich dir sag, ich hab's irgendwo gewonnen?«, fragte ich.

Mama schüttelte den Kopf. »Versuch's noch mal«, sagte sie.

»Finderlohn?«, sagte ich. Aber Mama tippte sich nur gegen
die Stirn.

»Dann sag ich die Wahrheit«, sagte ich. »Mein Doppelgän-
ger hat es mir gegeben. Und das beschwör ich sogar. Bei der
Heiligen Mutter Gottes«, und ich hob wieder die rechte
Hand.

Nur leider war Mama eben nicht katholisch. »Nun rede hier
mal keinen Scheiß, ja?«, sagte sie. »Ich will die Wahrheit
wissen, aber hopp, hopp!«

Ich seufzte. »Ich hab im Supermarkt Ware ausgepackt«, sagte ich. »Ausgepackt und gestapelt. Immer, wenn ich unterwegs war, bin ich da gewesen. Wegen Nisis Geburtstag. Und
meine Schulden bei dir wollte ich auch gerne bezahlen.«

Ich sah, wie Mamas Schultern sich langsam entspannten.

»Na gut«, sagte sie zweifelnd. »Ich glaub's dir. Aber wehe, ich kriege raus …« Sie hob ihre Hand, als ob sie gleich zuschlagen würde.

»Nee, nee, alles okay«, sagte ich und duckte mich.

Mama steckte das Geld in die Tasche. »Warum sagst du auch nicht gleich die Wahrheit«, sagte sie und ging in die Küche, wo sie auf dem Fußboden ein Puzzle angefangen hatte. Lauter niedliche kleine Welpen diesmal. »Du musst mich ja für völlig bescheuert halten. Damit nehmt ihr mich jetzt jahrelang hoch, ja? Doppelgänger!«, und sie wühlte energisch in einem Haufen Kantenteile.

Danach waren von den vierhundert Mark also nur noch gut zweihundertfünfzig übrig.

»Aber dafür kriegt man ja auch schon einiges«, sagte ich und ließ einen vollautomatischen Hund, der in der Spielwarenabteilung zu Werbezwecken Pirouetten drehte, bellend vor mir Purzelbäume schlagen. »Vor allem will sie sowieso Bücher.«

»Bist du dumm, Kevin?«, sagte Tatjana und schnappte mit ihrer freien Hand, die nicht mit meiner verschweißt war, nach dem Hund. »Acht Jahre alt, acht Kinder. Das kostet.«

»Nur acht?«, sagte ich verblüfft. Für so wenige hätte Momma ihren pädagogischen Geburtstagsgestalter erst gar nicht kommen lassen.

»Kaffeetrinken ist billig, die essen Negerküsse«, sagte Tatjana kenntnisreich. »Aber nachher *McDonald's*? Und die Gewinne beim Sackhüpfen und unter dem Topf? Für eine schöne Feier geht viel weg, das musst du bedenken.«

Ich gab Tatjana einen kleinen Kuss auf den Scheitel. Sie wusste alles und bedachte alles und war so praktisch. Ich konnte mir nicht vorstellen, dass Momma vor einem Geburtstag jemals durchgerechnet hatte, wie viel sie für die Feier ausgeben konnte. Der Privatpatient, für den Tatjana sich später einmal entscheiden würde, konnte sich glücklich preisen. Wenn ich sie überhaupt dieser Medizinerszene überlassen würde.

»Aber vor allem will sie ja sowieso Bücher«, sagte Tatjana und setzte den Hund zurück auf den Boden. »Sagst du doch. Komm, da zeig ich dir gute«, und sie zog mich von den Stofftieren weg zu den Büchern und Papierwaren hin und zwischendurch gab sie mir ab und zu einen kleinen Kuss in den offenen Halsausschnitt meiner Jacke.

Als wir am Abend mit schätzungsweise siebenundzwanzig Plastiktüten aus der U-Bahn stiegen, ohne von einem Kontrolleur behelligt worden zu sein, wusste ich, dass dies einer der besten Nachmittage meines Lebens gewesen war.

KEVIN

In den nächsten Tagen versuchte ich mit allen Mitteln zu beweisen, wie wenig überanstrengt ich war. Ich lächelte schon zum Frühstück und pfiff ganz entspannt, wo ich ging und stand, aber die verängstigten Eltern sahen das offenbar eher als Zeichen einer nahenden Geisteskrankheit.

»Ist auch alles okay, Calvin?«, fragte Momma, als ich mit einem lauten Juchzer übers Treppengeländer ins Erdgeschoss rutschte und dabei fast Margaretas Staubsauger umwarf.

»Alles okay«, sagte ich und wedelte fröhlich mit der Hand. Aber ich ahnte doch, dass alles, was ich tat, sie in ihrem Verdacht nur noch bestärken würde. Das sicherste Zeichen war, dass Daddo plötzlich nicht mehr mit mir über Papiere reden wollte, obwohl ich da gerade auf ein paar ganz heiße Sachen gestoßen war.

»Nun denk doch nicht immerzu nur über Geld nach, Junge!«, sagte Daddo. »Das Wichtigste für uns bist schließlich du! Geld ist doch nicht alles auf der Welt!«

Ich überlegte, ob ich ihm zustimmen konnte. In unserem Piffeltreppenhaus jedenfalls hätte ihm bestimmt keiner zugestimmt. Aber was ich auch tat, der Psychologe würde mir jedenfalls nicht erspart bleiben.

Daddo und Momma kamen beide mit, als es so weit war, und das ist für einen in meinem Alter denn doch schon ziemlich peinlich. Die Praxis war in einer eleganten weißen Villa untergebracht, die direkt an der Außenalster lag, auf der die Segelboote auf mysteriöse Weise umeinander herumglitten ohne zu kollidieren. Segeln wäre auch mal was für mich, aber hundertpro. Das würde ich Momma und Daddo mal stecken müssen. Ich konnte mir nicht vorstellen, was sie dagegen haben sollten.

Im Wartezimmer saß niemand außer uns, aber der Junge, der aus dem Sprechzimmer kam, bevor wir hineingingen, wirkte verblüffend normal. Konnte doch sein, hier waren sie alle nur durch blöde Irrtümer hergekommen. Aber das war wohl eher unwahrscheinlich. Die wenigsten Leute haben schließlich Doppelgänger.

»Hallo, Calvin«, sagte der Typ, der mich an der Tür in Empfang nahm. Er sah auch nicht irgendwie schräg aus, überhaupt nicht, wie ich mir so einen Psycho-Menschen vorgestellt hatte, und ich atmete aus. Ich hatte mir in den letzten Tagen überlegt, wie ich dieses Gespräch händeln würde, und jetzt, wo ich ihn sah, war ich überzeugt, dass es klappen musste. Ich wurde ganz ruhig.

Aber so ganz ohne weiteres ließen Momma und Daddo mich noch nicht gehen.

»Mein Mann hat Ihnen sicher erzählt«, sagte Momma und guckte den Psychologen Hilfe suchend an. »Es ist alles nur Überanstrengung. Ich kann Ihnen genau sagen ...«

»Regression!«, sagte Daddo. »Verstehen Sie! Er verkraftet seinen plötzlichen Sprung ins Erwachsenenleben nicht! Das ist alles so abrupt gekommen ...«

»Aber wir haben ihn nicht gedrängt«, rief Momma. »Wir haben ihn kein bisschen ...«

»Es ist ja alles völlig klar«, sagte Daddo und gab Momma ein Zeichen, dass sie still sein sollte. »Verstehen Sie? Es ist uns beiden gleich aufgefallen, meiner Frau und mir. Während der Junge sich plötzlich von einem Tag zum anderen nur noch mit ernsthaften Dingen beschäftigt hat, gelernt, gelernt, gearbeitet, war gleichzeitig eine totale Verrohung der Sprache festzustellen. Ausdrücke, die in unserem Haus – verstehen Sie? Das war das Ventil, heute ist mir das klar, Anspannung auf der einen Seite, da hat er ein Ventil gebraucht ...«

»Und das waren diese unflätigen Reden!«, rief Momma. »*Geil* und *Scheiße* und Wörter ...«

»Verstehen Sie?«, fragte Daddo.

Der Psychologe nickte und lächelte mir kurz zu. »Kommst du mit rein?«, fragte er.

»Der Fall liegt klar!«, sagte Daddo. »Nur hat das Ventil eben nicht ausgereicht, und da geht er nun nachts ...«

»Er träumt so schlecht!«, rief Momma. »Er spricht im Schlaf und ...«

»... und holt sich Spielzeug vom Hängeboden!«, sagte Daddo. »Er will seine Kindheit zurück! Unbewusst! Verstehen Sie? *Verstehen Sie?*«

Der Psychologe nickte freundlich. »Warten Sie vielleicht einfach hier?«, sagte er. Dann nickte er mich in sein Zimmer und zog die Tür hinter uns zu.

»So, Calvin«, sagte er freundlich.

Mich hätte es fast umgehauen. Irgendwas musste schief gelaufen sein. Sie hatten mich im Kindergarten abgesetzt.

In einer Zimmerecke stand so eine rote Plastikmuschel, wie Nisi sie schon seit Ewigkeiten für den Balkon haben will, so eine, bei der man die eine Hälfte mit Sand füllt und die andere abends als Deckel darüber klappt, und in einer anderen Ecke gab es ein Puppenhaus. Es gab Knetmasse und einen Schrank, hinter dessen Türen ich noch mehr Bastelutensilien vermutete. Ich musste hier gleich einiges klarstellen.

»Ich muss doch nicht damit spielen, oder?«, fragte ich. »Ich bin nämlich eigentlich nicht verrückt.«

Der Psychologe lächelte immer noch. »Nicht, wenn du nicht möchtest«, sagte er. Aber mehr sagte er nicht.

Ich wartete, dass er irgendetwas tun sollte oder irgendetwas fragen, aber er lächelte nur stumm und da setzte ich mich einfach auf einen Stuhl. Ich hatte keine Ahnung, wie viel Daddo oder die Krankenkasse für diese Session löhnen musste, aber es war für den Typ jedenfalls leicht verdientes Geld. Entspannt sitzen und lächeln und dafür auch noch abkassieren ist gar kein so schlechter Job. Ich überlegte, ob ich mich bei meiner Berufsplanung dafür nicht auch interessieren könnte. Aber dann beschloss ich die Sache schnell zu Ende zu bringen.

»Ich erklär Ihnen jetzt mal, wie das alles ist, okay?«, sagte ich. »Das ist nämlich alles ein totales Missverständnis hier.«

Der Abkassierer nickte und lächelte, aber immer noch keinen Ton.

»Also das ist wie gesagt alles ein totales Missverständnis«, sagte ich. »Es ist nämlich so, dass ich eigentlich jemand ganz anders bin. Also nicht dieser Calvin Prinz.«

Wenn ich erwartet hatte, dass ihn diese Information vom Hocker hauen würde, hatte ich mich getäuscht. Anstatt aufzustehen und sich einen Cognac einzuschenken lächelte er mir nur aufmunternd zu.

»Ich heiß in Wirklichkeit Kevin«, sagte ich. »Kevin, nicht Calvin. Und mit diesem Prinz hab ich nur getauscht. Das ist mein Doppelgänger.«

Der Typ saß immer noch ganz entspannt. Offenbar war meine Einschätzung von vorhin, dass etwa die Hälfte der Bevölkerung Doppelgänger hatte, gar nicht so falsch gewesen. Er jedenfalls schien mit diesem Phänomen bestens vertraut zu sein.

»Ich hab den neulich am Hafen getroffen«, sagte ich, und dann erzählte ich die ganze Geschichte und dabei sagte er keinen Ton und lächelte nur, dass man richtig Lust kriegte, immer noch weiterzureden. Sonst hören einem die Leute ja meistens nicht so begeistert zu.

Als ich fertig war, nahm er die Hände von den Armlehnen seines Stuhls und stand auf. »Danke schön, Calvin, dass du mir so viel erzählt hast«, sagte er und ging zur Tür. Aber das konnte ich nicht zulassen.

»Halt!«, rief ich. »Warten Sie doch mal!«

Er drehte sich um.

»Ich will nicht, dass Sie das meinen Eltern erzählen!«, sagte ich. »Also Calvins Eltern! Weil ich Calvin doch versprochen hab – also ein paar Tage wollen wir doch noch vertauscht bleiben.«

»Du möchtest nicht, dass deine Eltern wissen, dass du jemand anders bist«, sagte der Psychologe.

Wenigstens war er kein langsamer Denker.

»Nee, bloß nicht!«, sagte ich. »Ich hab da auch noch ein paar Sachen im Rechner – also jetzt wäre das total ungünstig, echt.«

Der Psychologe öffnete die Tür. »Ganz so einfach ist das leider nicht, Calvin«, sagte er. Dann winkte er Momma und Daddo herein.

Und erst in dem Augenblick begriff ich, dass er mich hereingelegt hatte.

»Ich fürchte, die Geschichte ist doch ein bisschen komplizierter«, sagte der Psychologe. »Ihr Sohn hier, Calvin, Ihr Sohn hat Ihnen vielleicht nie erzählt, dass er glaubt, jemand anders zu sein?«

»Jemand anders?«, sagte Momma verständnislos.

Und ich begriff, dass dieser heimtückische Typ mich über den Tisch gezogen hatte. Er hatte genickt und gelächelt, als ob er mir glaubte, und die ganze Zeit hatte er gedacht, dass ich einen kräftigen Sprung in der Schüssel hatte. Und mir war klar, dass die glückliche Zeit im Wohlstand damit ihrem Ende zuging. Ich musste wieder Kevin Bottel werden.

»Ich bin wirklich nicht Calvin, ich schwör's!«, rief ich panisch. Aber kein Mensch interessierte sich dafür.

Momma weinte und Daddo sah mich fremd an. Wenn wir zu Hause waren, würde ich sofort Bottel anrufen müssen. Oder nein, eben: Calvin.

CALVIN

Und natürlich wurde der Geburtstag wirklich total gut.
Wir hatten Bücher gekauft und eine CD und ein Brettspiel
und eine Puppe, weil Tatjana gesagt hatte, mit acht ist man
dafür noch nicht zu alt, und zwei niedliche kleine Teddy-
stempel. Als ich das morgens alles auf den Geburtstagstisch
stellte, wäre Mama fast in Ohnmacht gefallen.
»Und du schwörst, dass die Kohle vom Supermarkt ist?«,
sagte sie. »Nicht geklaut?«
Ich hasse Meineide. »Warum glaubst du mir denn nie!«, sagte ich böse.
Jacqueline kratzte sich am Kopf und sagte, dass sie mich
wirklich geil fände. Sie könnte sich nicht viele große Brüder
vorstellen, die das für ihre kleine Schwester auf die Beine
stellten, und das hätte sie mir niemals zugetraut.
»Siehst du mal!«, sagte ich cool. »Wie man sich täuschen
kann in einem Menschen!« Und das war in meinem Fall ja
nun die purste Wahrheit.
Am Nachmittag kam Tatjana zu uns, um mir bei der Feier zu
helfen. Mama hatte bei ihrer neuen Putzstelle nicht schon
gleich absagen wollen und Jacqueline musste Damen die
Haare schneiden und Ramon war sowieso grade mal wieder
nicht anwesend. Aber Tatjana sagte, sie würde das schon
hinkriegen.
»Wenn du mir was versprichst, Kevin Bottel«, sagte sie und
schubste mich ein kleines bisschen zur Seite. »Wenn du mir
versprichst, dass du in der Schule aufhörst mit dem Scheiße-
machen und jetzt mal lernst. Du konntest so gut sein neu-

lich! Und jetzt ist wieder gar nichts mehr bei dir. So kriegst du keinen Abschluss, das sag ich dir. Schon gar keinen guten.«

Ich grunzte. »Ich will ja auch nicht Arzthelferin werden«, sagte ich, aber Tatjana fand das überhaupt nicht witzig. Darum versprach ich ihr, mich von jetzt an zu benehmen wie einer, der ganz heiß ist auf einen guten Hauptschulabschluss, obwohl ich es schade fand. Irgendwie hatte die Schule in der letzten Zeit richtig Spaß gemacht.

Und nun kam Tatjana also am Nachmittag zu uns und spielte mit den Kleinen Topfschlagen und Weckersuchen und Wattepusten und *Apfel aus dem Eimer*. Dem Gelächter und Gekreische nach zu urteilen war es eine gelungene Geburtstagsfeier und Nisis Backen waren am Ende so rot, dass man Steaks darauf hätte braten können.

»Tatjana ist so nett!«, sagte Nisi, als um halb acht die Kinder alle gegangen und wir beim Aufräumen waren. In der Küche spülte Tatjana Geburtstagsgeschirr.

»Ist sie«, sagte ich und beschloss, dass nach dem Aufräumen die Stunde der Wahrheit gekommen sein sollte. Bestimmt kannte Tatjana mich jetzt gut genug, um nicht mehr zu glauben, dass ich sie beschwindelte.

Als die Teller und Tassen alle wieder im Küchenschrank standen und der Fußboden krümelfrei war, zog Nisi sich mit *Kopf hoch, kleines Pony!* in ihr Bett zurück.

»Und ich bring dich nach Hause«, sagte ich zu Tatjana, die sich gerade vor den Fernseher setzen wollte. Im Gehen redet es sich leichter.

»Brauchst du doch nicht«, sagte Tatjana und legte ihren Kopf in meine Halsbeuge. »Lass doch die kleine Nisi nicht allein!«

»Wenn die liest, ist der alles egal«, sagte ich energisch. »Heute lass ich mal die kleine Tatjana nicht allein.«

Tatjana lachte und küsste meinen Hals an einer Stelle, die äußerst gefährlich ist. Die zuständigen Synapsen sandten dem Rest meines Körpers wilde Signale, denen ich jetzt auf keinen Fall nachgeben durfte, und im Schlafzimmer klingelte im Kleiderschrank das Telefon. Aber andere Dinge hatten Vorrang.

»Ich will dir was erzählen, Tatjana«, sagte ich und zog die Wohnungstür hinter uns zu. »Und ich möchte, dass du mir glaubst. Ich will nicht mehr länger mit dir zusammen sein und dich die ganze Zeit belügen. Darum sag ich dir jetzt …«

Tatjana starrte mich an und ich konnte sehen, dass sich in ihrem Kopf die Vermutungen überschlugen. »Nee, keine andere Freundin, wenn du das denken solltest!«, sagte ich schnell. »So was doch nicht! Es ist – es hat mit dem zu tun, worüber wir schon mal geredet haben.«

Tatjana zog ihre Hand aus meiner. »Sag schon«, sagte sie und ich konnte sehen, dass sie Angst hatte, was jetzt kommen würde, und weil sie keine Angst haben wollte, wurde sie ärgerlich. »Sag und dann ist gut.«

Ich holte tief Luft. »Du hast mir mal erzählt, dass du dir einen reichen Typen schnappen willst«, sagte ich. Jetzt blieb ich doch stehen. Die Sache war so wichtig. »Ich hab das nicht so gut gefunden, weil – ich finde, man sollte eigentlich, Frauen sollten eigentlich auch …«

Tatjana lachte. Plötzlich sah sie richtig erleichtert aus. »Ach, das ist nur, was du reden willst!«, sagte sie und jetzt gab sie mir doch wieder einen ganz kleinen Kuss auf die Wange. »Ach, du bist ja dumm, Kevin! Wenn ich dich liebe, dann sage ich doch nicht: Das war's nun leider, Bottel, du hast mir zu wenig Kohle! Du gibst dir jetzt Mühe in der Schule und machst eine gute Lehre und ich mach auch eine gute Lehre ...«

»Tatjana!«, sagte ich. »Das ist es ja nicht.«

Tatjana guckte verwirrt. »Nicht?«, sagte sie. »Ich dachte, du bist eifersüchtig. Aber musst du ja nicht! Einen reichen Typen kenn ich ja noch gar nicht!«

»Kennst du doch«, sagte ich schnell. Jetzt oder nie. »Einen reichen Typen. Mich kennst du, Tatjana. Ich bin nicht Kevin Bottel«, und ich dachte an Daddos drei Atemzüge und dass es gerade dann, wenn sie am dringendsten angesagt wären, die schlechtesten Möglichkeiten dafür gibt.

Tatjana stieß mir eine Faust in den Bauch. »O du Scheiße, Scheiße, Scheiße!«, schrie sie wütend. Eine alte Frau, die mit einem winzigen Hund unterwegs war, schüttelte empört den Kopf. »Das hast du mir alles schon mal erzählt, Kevin! Glaubst du denn, ich bin blöde? Glaubst du denn, ich ...«

»Tatjana, hör doch mal zu!«, schrie ich verzweifelt. Sogar von der anderen Straßenseite sahen sie jetzt zu uns herüber. »Ich bin nicht Kevin Bottel, ich heiße Calvin Prinz! Mein Vater hat eine Firma, die macht ...«

»O du Scheiße, Scheiße, Scheiße!«, schrie Tatjana wieder. »Glaubst du das von mir, ja, Bottel? Dass ich nur Kohle will, glaubst du das? Ich hasse dich, Bottel, ich hasse dich!« Und sie fing an zu laufen und für eine, die so viel kleiner ist als ich und auch nicht direkt schlank, war sie gar nicht so langsam.

»Tatjana!«, schrie ich und rannte hinterher. »Du hast das nicht verstanden, Tatjana! Ich kann doch nichts dafür, dass ich reich bin! Mit dir hat das gar nichts zu tun!«

Tatjana blieb abrupt stehen. »Lügner!«, sagte sie und spuckte aufs Pflaster, mir genau vor die Füße. »Weil ich dir erzählt

habe, was ich mir wünsche für mein Leben, glaubst du, ich
bin so eine Schlampe, die sich reichen Kerlen …«

»Tatjana!«, schrie ich. »Tatjana!« Aber ich wusste schon,
dass ich sie nicht überzeugen konnte.

Es gab nur eine Lösung.

»Komm mit zur Telefonzelle, Tatjana«, sagte ich. »Dann be-
weise ich es dir.«

KEVIN

Die Rückfahrt im Auto war schrecklich. Momma schluchzte und Daddo am Steuer machte ein versteinertes Gesicht.

»Wir hätten nicht so viel von ihm verlangen dürfen, Daddo!«, weinte Momma. »Der Junge ist nun mal – ihm fällt eben alles nicht so leicht! Und nun siehst du, was passiert ist!«

»Blödsinn!«, knurrte Daddo und starrte auf den Verkehr. Er sagte nicht, dass ein Prinz immer ein Prinz bleibt.

»Aber es ist doch alles ganz anders!«, rief ich darum. »Ihr müsst euch nicht aufregen! Ich kann alles beweisen!«

»Sei still!«, schnauzte Daddo und Momma heulte auf.

»Wirklich, ich kann!«, sagte ich, aber da machte Daddo eine Vollbremsung und ich begriff, dass das Auto vielleicht nicht der richtige Ort war, um dieses Thema weiterzuverfolgen. Es hatte keinen Sinn, von Beweisen zu reden; ich musste sie ihnen bringen.

Und mein Beweis war Calvin.

Es war nicht leicht, zu Hause ungestört zu telefonieren, das kann ich schwören. Wahrscheinlich hatten sie Angst, dass einer, der glaubt, jemand anders zu sein, ihnen das Haus auseinander nehmen könnte; jedenfalls wich Momma keine Sekunde von meiner Seite.

»Nun komm doch mal zur Ruhe, Calvin«, flüsterte sie, als ich das Telefonbuch geholt und angefangen hatte zu blättern. »Du meine Güte, Junge, du sollst doch ...«

»Bottel!«, rief ich. »Da siehst du es! Jasmin Bottel! Wie ich es gesagt habe! Das ist meine Mutter, verdammt! Glaubst du mir jetzt!«

»Du sollst nicht verdammt sagen«, schluchzte Momma und Daddo sagte: »Und was soll das beweisen? Dass es im Telefonbuch jemanden gibt, der Bottel heißt? Ganz abgesehen davon, dass es ein ordinärer Name ist. Was soll das beweisen?«

»Einer aus seiner Klasse heißt Bottel«, sagte Momma und betupfte sich die Augen. »Der hat hier neulich mal angerufen, Daddo. So kommt der Junge auf den Namen.«

Daddo kam auf mich zu und legte mir die Hände auf die Schultern. »Calvin!«, sagte er beschwörend. »Junge, ich flehe dich an!«

Da war mir schon alles egal. Ich hob den Hörer ab und wählte unsere Nummer.

»Gleich wirst du ja sehen!«, sagte ich böse. »Gleich kannst du mit Calvin reden! Der wird dir schon erklären …«

Am anderen Ende läutete es. Beim sechsten Mal verlor ich die Hoffnung. »Wartet noch mal!«, rief ich. »Die haben das Telefon wieder im Kleiderschrank!«

Momma schluchzte auf. »Calvin!«, flüsterte sie. »Calvin, so begreif doch …«

»Der Junge braucht jetzt Ruhe«, sagte Daddo entschieden, aber ich konnte doch hören, dass seine Stimme zitterte. »Geh nach oben in dein Zimmer, Calvin. Momma und ich müssen reden. Aber leg dich aufs Bett! Keine Computer jetzt!«

Ich drehte mich um und ging die Treppe hoch. Hinter mir murmelte Daddo: »Das kriegen wir alles wieder hin«, aber es klang müde und ich hörte es kaum. Ich hätte ihnen so gerne geholfen.

Und darum konnte ich jetzt auch nicht einfach abhauen und Calvin herschicken und mich wieder zu Hause einrichten, als wäre nichts passiert. Natürlich würden sie dann nur glauben, dass Calvin ich war oder, nein, eigentlich natürlich er selber, also – es war alles viel zu kompliziert. Und wenn Calvin zurückkam und erklärte, dass er jetzt der richtige Calvin wäre, würde sie das trotzdem nicht beruhigen. Die einzige Lösung war, dass sie uns beide zusammen sahen. Und der Psychologe am besten gleich mit. Ich würde jetzt zum Telefon auf dem oberen Flur gehen und anrufen und beten, dass irgendwer mit dem Kleiderschrankschlüssel in der Hand zum Apparat gehen würde.

Da läutete es auf dem Flur. Ich war mit einem Satz am Apparat. »Ja, Calvin Prinz?«, sagte ich. Es gibt Gedankenübertragung und kein Scheiß.

»Kevin?«, brüllte es in den Hörer. »Bottel, hör zu, hier ist Calvin! Ich ruf aus einer Zelle an und …«

»Lass mich los jetzt, sofort lass mich los!«, schrie eine Stimme im Hintergrund. »Du bist ja wahnsinnig geworden, Bottel, gleich schrei ich hier!«

»Ist das Tatjana?«, fragte ich verblüfft. »Calvin, lass sie laufen, du musst herkommen! Deine Eltern drehen gerade durch, die waren mit mir beim Psychologen und der hat ihnen gesagt …«

»Was glaubst du, weshalb ich dich anrufe, Bottel?«, schrie Calvin am anderen Ende. »Tatjana glaubt, ich will sie reinlegen – warte doch, Tatjana! Tatjana, warte mal!« Dann wurde es still.

»Calvin?«, brüllte ich. »Hallo, Calvin?« Ich hielt den Hörer ans Ohr und wartete.

»Sie ist abgehauen«, sagte Calvins Stimme plötzlich düster. »Ich wollte, dass du mit ihr sprichst …«

»Du musst herkommen, Calvin!«, sagte ich beschwörend. »Deine Eltern sind völlig verzweifelt!«

»Was glaubst du, was *ich* bin, Bottel?«, sagte Calvin wütend.

»Tatjana ist abgehauen, Mann! Du bist derjenige, der kommen muss!«

Ich schluckte. »Jetzt ist sowieso alles im Arsch«, sagte ich.

»Wir treffen uns am Hafen, Calvin, und tauschen zurück. Und klären, zu wem wir zuerst fahren, okay? Zu deinen Eltern oder zu Tatjana. Calvin, hörst du mir zu?«

Meine Zimmertür wurde geöffnet, aber im Augenblick konnte ich mich nicht darum kümmern.

»Calvin!«, brüllte ich. »Bist du noch dran? He, Calvin, hallo, Calvin ...«

Daddo legte seine Hand auf die Gabel. Am anderen Ende hörte ich es tuten.

»Calvin«, sagte er müde. »*Du* bist Calvin, Junge. Calvin Prinz, das bist du. So glaub doch wenigstens deinen Eltern, Calvin! Oder glaubst du, dass Eltern sich täuschen können, wo es um ihre Kinder geht?« Und er sah mich so bittend und verzweifelt an, dass ich wusste, jetzt musste es schnell gehen.

»Sorry, Daddo, und mach dir keine Sorgen!«, rief ich und sprintete zum Fenster. Ich würde Nebenstraßen fahren und mich zwischendurch verstecken müssen, damit er mich mit dem Auto nicht aufspürte. »Ich bin gleich wieder zurück!«

Es war das erste Mal, dass ich von so hoch sprang, aber der Rasen unter dem Fenster war weich. Hinter mir hörte ich Daddo Calvins Namen rufen.

Ich schwang mich aufs Rad und fuhr los.

CALVIN

Abends um diese Zeit hatten die meisten Touristen den Hafen schon verlassen und ihre Jagdgründe ein paar hundert Meter weiter verlegt, wo Damen aller Altersgruppen, aber vorwiegend unter dreißig, sie mit kostenpflichtigen Angeboten verschiedenster Art lockten; aber hell war es immer noch. In der U-Bahn hätten mich zum ersten Mal, seit ich regelmäßig schwarzfuhr, zwei Kontrolleure fast geschnappt, aber die dreißig Jahre Altersunterschied hatten sich beim Sprint zu meinen Gunsten ausgewirkt. Nur war ich jetzt immer noch ein bisschen aus der Puste.

Bottel kam auf meinem Rad und hielt mit quietschenden Reifen direkt vor meinen Füßen.

»Scheiße, Mann!«, sagte er. »Ich hab ewig gebraucht, um meinen Alten abzuhängen.«

»*Meinen* Alten«, sagte ich.

Bottel nickte. »Die Kacke ist am Dampfen«, sagte er. »Sie glauben, ich hab völlig abgedreht, weil ich dem Psycho-Daddy, zu dem sie mich geschleift haben, die Wahrheit erzählt habe, und das Schwein hat gepetzt.«

»Du redest nicht wie ein Prinz, Bottel«, sagte ich. Ich versuchte mir vorzustellen, was Momma zu seiner Ausdrucksweise gesagt hätte.

Kevin machte eine wegwerfende Handbewegung. »Jetzt bewachen sie mich jede Minute«, sagte er. »Und sind völlig gebrochen. Du musst mitkommen, Calvin, wir müssen zusammen hin, damit sie checken …«

»Aber haargenau«, sagte ich. »Nur dass *du* mit zu *mir*

kommst. Mit zu dir. Zu Tatjana. Die hat die Wahrheit auch nicht so richtig verkraftet.«

»Wahrheit ist immer ein Risiko«, sagte Bottel. »Wieso Tatjana?«

Ich überlegte, was ich ihm erzählen sollte. Immerhin war er ja irgendwie halb mit ihr gegangen. Konnte doch sein, er hatte gar kein Interesse daran, den Irrtum aufzuklären. Dann würde Tatjana bis zur Rente glauben, dass es nur einen Kevin Bottel gab, und das war er.

Aber die Sorge war unbegründet.

»In deiner Klasse ist auch eine, bei der ich es längerfristig versucht hätte«, sagte Kevin. »Das stand auf meinem Plan für die nächsten Wochen.«

Ich starrte ihn an. »Echt jetzt?«, sagte ich. »Und warum? Ich meine: Warum erst dann?«

Kevin zuckte die Achseln. »Muffe«, sagte er. »Ich hab mich nicht getraut. Die ist so – ich hab mit solchen Weibern noch nicht viel Erfahrung.«

Ich nickte. »Und wer?«, fragte ich. Wenn Bottels Interessen anderswo lagen, brauchte ich mir wegen Tatjana keine Sorgen mehr zu machen.

»Gun«, sagte Kevin, und mit seinen Augen hätte man bei Dunkelheit den ganzen Hafen beleuchten können. »Aber na ja«, und er zuckte die Achseln.

»Kannst du doch später noch versuchen«, sagte ich tröstend, und ich fragte mich, was er wohl an Gun gefunden hatte. Wenn Gun erwachsen war, würde sie sein wie Momma. Wenn Tatjana erwachsen war, würde sie immer noch Tatjana sein.

»Sollen wir dann mal?«, sagte ich. »Ich hoffe, du hast Knete.«

Kevin wühlte in seinen Hosentaschen, dann starrte er mich an. »Scheiße!«, brüllte er, und die letzten Touris, die um diese Zeit aus dem Tunnel kamen, guckten missbilligend. Wahrscheinlich hatten sie noch nicht oft zwei Leute gesehen, die aussahen wie geklont und sich vor Lachen kaum halten konnten.

»Dürfen wir ohne Geld?«, fragte Bottel höflich den Mann, der mit Sammeltasse und Thermoskanne hinter seinem Tischchen mit der gebügelten Decke saß. Es war jede Wette derselbe.

»Nichts da«, sagte er und schlürfte einen kleinen Schluck. »Da könnte ja jeder kommen.«

»Wir sind Stammkunden!«, rief Kevin. »Gibt's da nicht Rabatt? Kennen Sie uns denn nicht mehr?«

»Rudolf und Herbert!«, sagte ich. »Ach bitte, Herr Beamter!«

Der Klomann stand auf. »Verschwindet!«, sagte er. »Aber dalli! Sonst ruf ich die Polizei!«

»Man wird ja wohl noch mal müssen dürfen!«, rief Kevin vorwurfsvoll. »Bitte, liebe gnädige Frau ...« Und er streckte einer Dame im sportlichen Outfit mit Sonnenbrille um den Hals die Hand entgegen. »Wenn wir Sie vielleicht bitten dürften ...«

»Raus hier!«, brüllte der Klomann.

»Wir sind leider völlig mittellos, gnädige Frau, aber die natürlichen Bedürfnisse lassen sich ja nicht ...«

»Raus hier, aber schnell!«, brüllte der Klomann und die Dame verschwand mit eiligen Schritten in einem Kabäuschen, nicht ohne uns noch einen giftigen Blick zuzuwerfen. Ihr Gesicht war inzwischen leuchtend rot, und das sprach ja für ihre Erziehung.

»Herbert, wir müssen uns an der Umwelt versündigen«, sagte Kevin seufzend. »Auf in die Elbe. Not kennt kein Gebot.«
»Bin ich nicht Rudolf?«, sagte ich nachdenklich. »Ein weiterer Beweis, dass Armut zur Umweltverschmutzung führt. Tja.«
»Nee, für die Umwelt tu ich immer was«, sagte ein älterer Herr, der wahrscheinlich seine drei bis vier Nachmittagsbiere getrunken hatte und sie jetzt entsorgen wollte. »Wie viel braucht ihr? Eine Mark jeder?«
Und so kamen wir doch noch in unser Kabäuschen und um uns herum hörten wir Türenschlagen und Wasserrauschen. Vielleicht war gerade ein Reisebus angekommen, jedenfalls hatte der Klomann so viel zu tun, dass er es versäumte, uns wegen verbotener Doppelbenutzung zu rügen.
»Gott, ist ja richtig langweilig, Rudolf«, sagte Kevin, nachdem er sich als Letztes das Sweatshirt übergezogen hatte. Komischerweise sah er trotzdem nicht so bottelmäßig aus wie beim letzten Mal. »Irgendwie glaubt man doch, man hätte Anspruch darauf, dass der hier für Ordnung sorgt.«
»Recht hast du, Herbert«, sagte ich. »Pflichtvergessener Kerl. Aber da siehst du mal. Ordnung und Moral gehen zugrunde in diesem Land«, und wir verließen das Kabäuschen und verzichteten darauf, uns im Vorraum zwischen Wimpern tuschenden Damen die Hände zu waschen.
»Bis zum nächsten Mal, Herr«, sagte Kevin, als wir an der Sammeltasse vorbeikamen. »Wir empfehlen Ihr Etablissement weiter.«
»Raus hier!«, brüllte der Klomann. Ich begann mich zu fragen, ob er vielleicht in Wirklichkeit ein technisches Meisterwerk aus Latex war, mit eingebauter Kassette. Sonst wäre sein Sprachumfang doch erschreckend gewesen.

Vor dem Tunnel stieg tatsächlich eine Gruppe, deren Größe in etwa der Bevölkerung einer mittleren Kleinstadt entsprach, in einen Reisebus.

»Wollen wir, Kevin?«, fragte ich. »Sonst ist Tatjana womöglich schon im Bett.«

Kevin schüttelte den Kopf. »Zuerst deine Eltern«, sagte er. »Die sind so was von down. Und wer weiß, die rufen sonst die Polizei.«

»Zuerst Tatjana«, sagte ich kämpferisch.

Kevin schüttelte den Kopf. »Werfen wir eine Münze?«, fragte er.

Ich nickte. Aber plötzlich machte Kevin ein ganz sonderbares Gesicht.

»Das wird mir alles so fehlen, weißt du das?«, sagte er. »Du kannst dich mit Tatjana immer noch treffen, aber ich ...«

»Und Nis?«, sagte ich. »Glaubst du, die ist mir gleich? Und irgendwie auch deine bescheuerte Mutter? Und Jacqueline«, und auf einmal hatte ich ein Gefühl wie damals in der dritten Klasse, als wir zum ersten Mal auf Klassenfahrt fuhren.

Kevin guckte mich an. »Wenn du willst, kannst du uns immer besuchen«, sagte er. »Wo liegt das Problem?«

»Ich bring Bücher für Nisi«, sagte ich.

Kevin lachte. »Abwarten!«, sagte er. »Aber für mich ist das alles vorbei jetzt, Calvin. Die Rechner und die Börsenkurse ...«

»Du kannst uns doch auch besuchen, Bottel«, sagte ich und plötzlich merkte ich, dass ich wieder Calvin Prinz war, woran auch immer das lag. »Wenn du doch sagst, mein Vater war so wild nach dir.«

»Tatsächlich?«, sagte Kevin und dann zog er eine Braue hoch, wie ich noch niemanden eine Braue habe hochziehen sehen, und ich begriff, dass Kevin niemals mehr ein Bottel werden würde.

»Klar«, sagte ich schnell. »Herzlich willkommen. Jederzeit.« Kevin lachte. »Ein Prinz bleibt immer ein Prinz«, sagte er. »Und ein Bottel bleibt ein Bottel. Wenn dein Vater erfährt, wer ich bin ...«

»Blödsinn!«, schrie ich. »Du kennst doch Daddo!«

Kevin nickte. »Eben«, sagte er nüchtern.

»Nee, hör mal, Bottel, das finde ich jetzt aber unfair«, sagte ich. »Wollen wir wetten, dass Daddo sich weiter kümmert? Und als Erstes kannst du einen von meinen Rechnern haben.«

Kevin guckte hoch. »Aber internetfähig«, sagte er und dann fiel uns wieder ein, dass wir eigentlich in Eile waren.

Vielleicht hatte der Mann hinter dem Tischchen sich gerade von uns erholt, aber nun mussten wir seinen Adrenalinspiegel leider wieder steigern.

»Sie gestatten doch mal«, sagte Kevin und schnappte sich eine Münze vom Tellerchen. »Wie hoch ist Ihr Minutenzins?«

»Raus hier!«, brüllte der Mann. Latex mit Kassette, aber ohne jede Frage.

»Ist auch egal«, sagte Kevin freundlich. »Wir könnten sowieso nicht zahlen. Aber herzlichen Dank«, und unter dem dröhnenden Protestgeschrei des Klomannes warf er die Münze in die Luft.

Wir sahen ihr zu, wie sie klirrend auf die Fliesen schlug und ein paar Sekunden kreiselte, bevor sie sich für eine Seite entschied. Tatjana; oder Daddo und Momma.

»Raus hier!«, brüllte die Kassette im Latexmantel und sprang auf.

Kevin warf einen Blick auf die Münze und rannte.
»Also dann los«, sagte er.

NACHSPIEL

Viel, viel später, Jahre danach oder Jahrzehnte, wird es an einem der letzten warmen Abende des Sommers sein, dass sich zwei junge Herren, die sich verblüffend, ja zum Verwechseln ähnlich sind, entspannt auf einer Restaurantterrasse an dem See in der Mitte der Stadt niederlassen und ihre Armani-Jacketts lässig über die Stuhllehnen werfen.

Die zwei jungen Frauen in ihrer Begleitung, eine dunkel, klein und ein wenig füllig, die andere groß, schlank und blond, werden alle Blicke auf sich ziehen, keine mehr als die andere.

Dann werden sie beim Kellner Champagner bestellen und gelassen zusammensitzen wie Menschen, die sich schon lange, lange kennen, und über das Wasser blicken, wo die weißen Dreiecke der Segel vor der Kulisse der Stadt unter dem allmählich dunkler werdenden Blau einer grandiosen Choreografie folgen, die niemand sich ausgedacht hat.

»Erzähl mir vom Dow Jones«, wird einer der beiden Herren sagen und der andere wird lachen und sie werden anstoßen und sich darüber wundern, wie sehr das Leben manchmal dem Märchen nacheifert.

So wird es sein. Oder so ähnlich.
Oder, wer weiß, auch ganz anders.

KIRSTEN BOIE
ICH GANZ COOL

Schule, also logisch, das bockt nicht so. Aber Steffen geht trotzdem meistens hin. Den Abschluss will er schaffen. Und nach der Schule Mutprobe. Da darf man echt keine Muffe haben. Später will er auch S-Bahn-Surfen machen wie sein älterer Bruder. Und dann geht er in die Entwicklung zu BMW. Obwohl – wenn man da wohnt, wo Steffen wohnt, nehmen die einen wohl nicht bei BMW. Okay, alles kann man nicht haben. Vielleicht wird er ja auch Filialleiter bei SPAR wie sein Alter. Der ist in Ordnung, hat immer gezahlt und jetzt will er Steffen sogar besuchen. Mal sehen, vielleicht nimmt er ihn ja mit. Aber egal, wenn Steffen achtzehn ist, kauft er sich sowieso eine Maschine. Kawasaki oder Honda, mal sehen, mindestens 100 PS und dann ab, ganz cool...

Verlag Friedrich Oetinger · Hamburg

KIRSTEN BOIE
ERWACHSENE REDEN.
MARCO HAT WAS GETAN.

»Wenn ich in dem Augenblick anders reagiert hätte, zwei Menschen könnten vielleicht noch leben«, sagt der Sozialarbeiter, »glauben Sie, dass ich nachts manchmal nicht schlafe?« »Sehr vernünftige Leute«, sagt die Grundschullehrerin über Marcos Eltern, »wollten natürlich nur das Beste für ihr Kind.« »Mit uns hat diese ganze unglückliche Geschichte ursächlich nichts zu tun«, sagt der Bürgermeister des ländlichen Ortes, wo man Ausländer bis vor kurzem nur vom Hörensagen kannte. »Wir alle hier haben mit ihm gelebt und haben nichts gemerkt«, sagt der Pastor. »Schade um den Bengel«, sagt der Tankstellenpächter, dem Marco manchmal beim Reifenwechsel geholfen hat, »paarmal den Hintern versohlt und er könnte jetzt 'ne schöne Lehre machen.« »Klar wollen wir nicht so viele Ausländer«, sagt Marcos Freund, »aber deshalb zünden wir sie noch lange nicht an.« Marco sagt, so hat er es nicht gewollt. Es war ein unglücklicher Zufall. Er hat jedenfalls eigentlich keine Schuld. Sagt er…

Verlag Friedrich Oetinger · Hamburg

KIRSTEN BOIE
MOPPEL WÄR GERN ROMEO

Nicht, dass Moppel in Henrike verliebt wäre, aber sie ist einfach mit Abstand das beste Mädchen in der Klasse. Und dass sie die Julia spielen würde, war von Anfang an klar. Deswegen wäre Moppel ja auch so gern Romeo. Schließlich kommt er langsam in ein Alter, wo man mal ausprobieren muss, wie das so ist mit den Mädchen. Damit man nicht womöglich alles verpatzt, wenn man sich das erste Mal richtig verliebt. Und mit Liebe hat das Stück von diesem Herrn Shakespeare immerhin eine Menge zu tun. Aber dann erlebt Moppel seine erste Niederlage und das bloß wegen ein bisschen Bauchspeck. Die Reise nach Tunesien mit Mama, Papa, Jule und Ritschie kommt ihm da gerade recht. Schließlich hört man immer wieder, dass im Urlaub die unglaublichsten Liebesgeschichten passieren...

Verlag Friedrich Oetinger · Hamburg